Portraits / Visages
1853-2003

Portraits / Visages

1853-2003

Sous la direction de Sylvie Aubenas
et Anne Biroleau

Galerie de photographie | Bibliothèque nationale de France / Gallimard

Cet ouvrage est publié à l'occasion de l'exposition « Portraits / Visages, 1853-2003 », organisée par la Bibliothèque nationale de France et présentée sur le site Richelieu, dans la Galerie de photographie, du 27 octobre 2003 au 11 janvier 2004.

Cette exposition et cet ouvrage ont été réalisés grâce au soutien financier de

LOUIS ROEDERER
CHAMPAGNE

Exposition

Commissariat
Sylvie Aubenas et Anne Biroleau, conservateurs en chef au département des Estampes et de la Photographie de la BNF

Coordination générale
Pierrette Turlais, assistée de Michelle Thioust et Anne-Sophie Lazou

Muséographie
Véronique Dollfus, architecte, avec la collaboration de l'atelier des grands formats, de l'atelier de restauration et de montage des Estampes et de la Photographie, du département de la Conservation et du département des Moyens techniques

Graphisme
Conception : Par commodité
Réalisation : LD Publicité

Éclairage
Serge Derouault

Prêteur

Société française de photographie

Édition

Direction éditoriale
Pierrette Crouzet (Bibliothèque nationale de France)
Jean-Loup Champion (éditions Gallimard)

Suivi éditorial et secrétariat de rédaction
Marion Crouzet et Jacqueline Michelet

Iconographie
Khadiga Aglan

Conception graphique et mise en pages
Ursula Held

Liberté • Égalité • Fraternité
RÉPUBLIQUE FRANÇAISE

Ministère
Culture
Communication

Remerciements

À la Bibliothèque nationale de France,
nous remercions tous ceux qui ont permis
et soutenu ce projet : Jean-Noël Jeanneney,
Thierry Grillet, Laure Beaumont-Maillet,
Viviane Cabannes, Pierrette Turlais,
Pierrette Crouzet, ainsi que Jean-Loup
Champion aux éditions Gallimard.

Notre reconnaissance va à tous ceux,
amateurs, conservateurs, experts,
collectionneurs, qui par leur générosité,
leurs conseils et leurs avis ont contribué
à enrichir les collections de photographie
et à guider le choix des œuvres
du XIXe siècle présentées dans le cadre
de cette exposition.
Elle s'adresse tout particulièrement à :
Pierre Apraxine, Quentin Bajac, Gordon
Baldwin, Christine Barthe, Mauricette
Berne, Daniel Blau, Denis Canguilhem,
Dominique Carré, Anne Cartier-Bresson,
Jean-François Chevrier, Sylviane
de Decker, Arnaud Delas, Marcel
Duchamp, Pierre Fournié, Michel Frizot,
Thierry Gervais, André Gunthert,
Dominique Planchon de Font-Réaulx,
Mark Haworth-Booth, Françoise
Heilbrun, Peter et Ruth Herzog, André
et Marie-Thérèse Jammes, Serge Kakou,
Jean-Claude Lemagny, Gérard Lévy,
Bernard Marbot, Joaquim Marçal Ferreira
de Andrade, Frédéric Mazuy, Jean-Michel
Nectoux, Marc Pagneux, Elvire Perrego,
Petros Petropoulos, Serge Planiureux,
Ulrich Pohlmann, Michel Poivert,
Pierre-Marc Richard, Paul-Louis Roubert,
Michèle Sacquin, Marc Smith,
Suzanne Winsberg.

Nous adressons nos vifs remerciements
à tous les photographes, français
et étrangers, qui ont contribué par leur
générosité à la richesse et au rayonnement
de la collection de photographie
contemporaine : Dieter Appelt,
Jean-Claude Bélégou, Rossella Bellusci,
Sonia Bossan, Florence Chevallier, Olivier
Christinat, Morel Derfler (†), Jean-Paul
Dumas-Grillet, Gilles Ehrmann, Caroline
Feyt, Debbie Fleming Caffery, Marianne
Grimont, Hergo, Connie Imboden,
William Klein, Henry Lewis, Maria
Theresia Litschauer, Philippe Pache,
Isabelle Rozenbaum, Rosalind Solomon,
Jean-Luc Tartarin, Yves Trémorin,
Gérard Trotin, Hiromi Tsushida, Yousouf
Wachill, Xavier Zimbardo, Xavier
Zimmermann.

La sélection des photographies du
XIXe siècle a été réalisée avec l'aide
précieuse de Delphine Grosjean, stagiaire
au département des Estampes et de la
Photographie en février et mars 2003, et
avec la collaboration de Christelle Laurent,
contractuelle au sein du même
département.

Nous remercions enfin Thierry Colin
et l'équipe du service reproduction,
ainsi que Dominique Saligny, Patrick
Lamotte et Philippe Bérard à l'atelier
du département des Estampes
et de la Photographie pour la qualité
de leur travail.

Les auteurs

Sylvie Aubenas est conservateur en chef
au département des Estampes et de la
Photographie de la Bibliothèque nationale
de France, où elle est chargée de la
photographie du XIXᵉ siècle. Elle a collaboré
à de nombreuses expositions. Elle est
également l'auteur d'un grand nombre
d'articles sur la photographie du XIXᵉ siècle.

Anne Biroleau, conservateur en chef
au département des Estampes et de la
Photographie de la Bibliothèque nationale
de France, est responsable de la
photographie moderne et contemporaine.
Elle a collaboré à l'exposition « Le corps
du visible » aux Rencontres internationales
de la photographie d'Arles (1999) et
à « Éloge de l'ombre », exposition organisée
par le Musée de la ville de Kawasaki (2000).

Clément Chéroux est historien de la
photographie, rédacteur en chef adjoint
de la revue *Études photographiques*.
Il enseigne à l'École nationale de la
photographie d'Arles. Il vient de publier,
aux éditions Yellow Now, *Fautographie.
Petite histoire de l'erreur photographique*.

Thierry Grillet, ancien élève de l'École
normale supérieure, est délégué à la
diffusion culturelle de la Bibliothèque
nationale de France et rédacteur en chef
de la *Revue de la Bibliothèque nationale
de France*. Il est maître de conférences
à l'Institut d'études politiques de Paris.
Il a donné de nombreux articles sur
l'esthétique et la photographie. Il collabore
régulièrement au *Nouvel Observateur*.

Sommaire

Préface

L'exposition « Portraits / Visages, 1853-2003 », présentée dans la Galerie de photographie de la Bibliothèque nationale de France, se veut d'abord une illustration de la collection rassemblée patiemment par nos conservateurs depuis un siècle et demi. Les visages qui sont reproduits dans ces pages, connus ou anonymes, offrent, comme les morceaux assemblés d'un grand puzzle, un reflet des richesses photographiques dont nous avons la garde. Mais un seul puzzle ne propose qu'une combinaison unique des pièces qui le constituent. Avec les millions de photographies conservées dans nos réserves, nous disposons d'une infinité de puzzles possibles pour tracer un visage toujours différent, toujours renouvelé, de la photographie et des façons multiples de la regarder. Cette exposition représente quelque chose comme l'arrêt momentané d'un kaléidoscope ; en même temps qu'une déclaration d'intention, elle est une prise de position.

À travers les quelque deux cents œuvres choisies par Sylvie Aubenas et Anne Biroleau se dessine en effet une manière spécifique de concevoir une collection nationale et sa mise en valeur. La grande ancienneté du fonds ne doit faire de nous ni des héritiers abusifs ni des enfants gâtés. Le choix est immense et il est d'autant plus difficile.

Les conservateurs du XIXe siècle dédaignaient ouvertement la photographie : à partir de ce mépris (de cette méprise…) ils ont amassé paradoxalement un ensemble extraordinaire. Au XXe siècle, le premier conservateur expressément chargé – entre 1968 et 1997 – de la photographie contemporaine, Jean-Claude Lemagny, ne disposait d'aucun budget d'acquisition : le principe du dépôt légal l'a conduit à nourrir des relations suivies avec les artistes et la contrainte financière l'a amené à entretenir avec eux un dialogue d'autant plus fructueux. Il a eu aussi l'audace de solliciter en don, avec succès, par dizaines de milliers, les tirages des plus grands artistes du siècle, dont un bon nombre d'étrangers.

Mieux que d'autres peut-être, la Bibliothèque a été protégée contre les engouements passagers et les obsessions individuelles. Une rigueur manifeste et un goût réfléchi ont marqué le choix des tirages acquis depuis plus de soixante ans. Les achats de documentation du XIXe siècle auprès de Raoult ou d'Atget ont ainsi été rejoints par les chefs-d'œuvre de Nadar, de Diane Arbus ou de Dieter Appelt pour former une fresque incomparable rendant compte d'une déjà longue histoire. Des images anciennes, jadis considérées comme anecdotiques, se sont transformées en avant-garde de la modernité sous nos yeux, dessillés par la leçon des surréalistes. Elles annoncent pour nous, selon des effets de miroir surprenants, les recherches les plus hardies des artistes contemporains.

Notre ambition, comme on le voit, n'est pas mince : donner à connaître et à comprendre les spécificités esthétiques de la photographie à travers des sujets ou des individualités qui l'ont marquée, offrir au public des savants, des amateurs et des curieux, sans cesse élargi, une nouvelle occasion d'apprécier la profusion polymorphe d'une collection qui a été constituée et conservée pour eux.

Jean-Noël Jeanneney,
président de la Bibliothèque nationale de France.

Adalbert Cuvelier (1812-1871)
Portrait d'homme, vers 1852
(voir notice p. 74)

… et voici que la peau de son visage rayonnait…

Thierry Grillet

«… la binette, la bobine, la bouille, le caillou, le citron, le chou-fleur, la façade, la fiole, la fraise, la frimousse, le groin, la gueule, la hure, le museau, la poire, la pomme, la tirelire, la trogne, la tronche, la trombine… »

D'après Jean Renson, *Les Dénominations du visage en français et dans les autres langues romanes. Étude sémantique et onomasiologique*, Paris, Les Belles Lettres, 1962

Avec le portrait photographique, le XIXᵉ siècle ouvre l'âge démocratique de la représentation de soi. Le portrait peint avait été réservé à une caste aristocratique, obsédée par le souci de la lignée, ou à une élite bourgeoise, soucieuse de poser pour la postérité. Le portrait photographique s'offre indistinctement à la foule. Baudelaire le condamne et exècre alors cette «société immonde [qui] se rua, comme un seul Narcisse, pour contempler sa triviale image sur le métal[1]. » Mais désormais les ateliers de photographes ne désempliront pas. Le beau jardinier d'Adalbert Cuvelier[2] aurait-il eu les honneurs d'une toile peinte ? Grâce à ce petit «monument» portatif, combien de milliards de souvenirs d'inconnus, de proches ou de célébrités ont donc été produits ? Placardés, affichés, insérés dans combien de bureaux, de chambres, de portefeuilles ? Voici le portrait photographique : objet ordinaire, occupant mille places dans le décor quotidien des existences, mais aussi pratique photographique à la croisée de l'œuvre d'artiste et de l'habitude du photographe amateur.

Objet fétiche de l'art et de la pratique photographique, construit, à l'origine, sur la coïncidence historique de l'apparition d'une technique et des progrès de l'individualisme, le photo-portrait est à la fois *célébration du sujet* – un art de la personne – et *genre artistique*, – un art de l'image. Et cette double nature porte aussi bien vers les rêveries biographiques que vers la contemplation esthétique. Devant un célèbre portrait d'enfant, Roland Barthes écrit : «Il est possible qu'Ernest, jeune écolier photographié en 1931 par Kertész, vive encore aujourd'hui (mais où ? comment ? quel roman !)[3] ». Et le narrateur d'*À la recherche de temps perdu*[4] rêve, pour sa part, devant la photographie de la duchesse de Guermantes. D'abord fasciné par le personnage social de l'aristocrate, il est bientôt absorbé par la contemplation abstraite des formes, des lignes, des surfaces. Le désir de la mondanité cède la place à l'adoration esthétique et transforme le jeune Marcel en un esthète subitement converti à la religion de la beauté. Comment accommoder ce regard, écartelé entre ces deux visées ? Comment le reconstruire au-delà de ce qui le divise ?

Amusons-nous à imaginer une petite phénoménologie du portrait. Que regarder dans le portrait photographique ? Au centre d'un triangle dont les trois pointes seraient formées par le modèle, le photographe et le spectateur, le portrait fait varier les points de vue. D'abord, le point de vue du modèle : qui est donc celui dont on tire le portrait (étymologiquement «portrait» est composé de l'intensif «pour» et de «tirer» – mais que tire-t-on du modèle ?) ? Puis, le point du vue du photographe : a-t-il prévenu son modèle[5] ou bien l'a-t-il surpris ? Qu'ajoute-t-il au réel qui signe sa manière ? Enfin, le point de vue du spectateur : d'où lui vient cet amour du portrait ?

De ces trois perspectives, celle du «modèle» paraît s'imposer avec le plus d'évidence. Car, à l'origine, c'est l'amour du modèle, la fidélité quasi amoureuse – comme le suggère Pline dans l'histoire légendaire des origines du portrait[6] – qui inspire ce désir. Aussi est-ce sur ce terrain que se développe la première production : des images pour s'identifier, se reconnaître, mais aussi pour identifier et reconnaître.

La photographie de portrait permet, en effet, à chacun de se connaître. L'individu, empêché physiquement de se voir lui-même cherche les moyens d'y parvenir. D'abord à travers des miroirs naturels : Narcisse et son reflet dans l'eau. Plus tard, à travers des miroirs artificiels, rares et réservés, qui ne rendront commune l'image de soi qu'avec l'invention de la technique du miroir moderne par les ateliers de Murano au XVIe siècle[7]. Enfin, la photographie – « miroir qui se souvient » selon l'expression de Robert de Montesquiou – parachève la trajectoire de ce photo-narcissisme.

Des cartes de visite d'Eugène Disdéri aux photomatons et jusqu'aux recherches les plus abouties de l'esthétique contemporaine, le portrait-miroir, saisi dans la frontalité la plus crue, constitue le cadre anthropologique de référence. Le portrait s'y superpose exactement au visage et vérifie l'identité, la coïncidence d'un sentiment de soi et d'une image physique. Le sujet doit y négocier entre les différentes couches du feuilleté de la personnalité et tenter de concilier le moi idéal, le moi social et le moi réel – comme semble l'indiquer le triple décalage torturant le portrait monstrueux de Clarence John Laughlin[8]. Dans un texte célèbre[9], Roland Barthes décrit, de l'intérieur, cet effort du modèle sur le point d'être photographié. Effort vain puisque l'état d'instabilité quasi météorologique du moi lui interdit toute correspondance avec son image. Faute d'y parvenir, Barthes rêve : « Ah ! si au moins la photographie pouvait me donner un corps neutre, anatomique, un corps qui ne signifie rien[10]. ». Programme d'absence du moi que les séries de Philippe Pache[11] paraissent vouloir réaliser. Le portrait de *Stéphanie*, par exemple, a la neutralité parfaite d'une photo d'identité. Frontalité, yeux grand ouverts face à l'objectif, cou largement découvert : la tête s'offre dans sa plus grande nudité. La lumière qui baigne cette face par le côté la révèle sans la dramatiser. Et l'ombre qui partage le visage n'y fait que déployer le relief. Pourtant, cette tentative limite de faire apparaître

la « vie nue », de retrouver le premier visage du sujet – peut-être celui du nourrisson –, s'annule dans l'inévitable boucle dialectique qui détecte, sous tout visage, le masque. La transparence angélique, l'apparent dénuement expressif, l'extraordinaire frugalité de la prise de vue ne dissimulent-ils pas la dernière ruse du portrait ? C'est que cet archi-visage n'est jamais mieux atteint probablement que dans le portrait, dérobé dans les rues de New York en 1916 par Paul Strand[12], d'une *femme aveugle* : voici le modèle premier, le visage sans l'autre, le visage à l'état de nature, qui n'a jamais été modelé ni corrompu par la comédie humaine.

S'identifier, se connaître. Mais aussi identifier, reconnaître : historiquement, c'est la question de l'identification – classement et contrôle social – qui occupe la première production de portraits. La photographie – associée au nom – ouvre la possibilité d'une vision panoramique et exacte de la population. Mais l'identification, multipliée par les possibilités techniques qu'apporte ce nouveau médium, vient combler des attentes imprévues. Ainsi est-il interdit depuis 1832 de marquer les détenus au fer rouge. Il faut alors inventer un système qui permette d'identifier les récidivistes. Alphonse Bertillon, avec d'autres, construit à partir des photographies de détenus, prises de face et de profil, une méthode efficace de reconnaissance[13]. Avec quatre-vingt-dix mille clichés, Bertillon dispose en 1890, au moment où paraît son livre *La Photographie judiciaire*, d'une véritable bibliothèque de têtes[14] qui engendre le fantasme d'une description physique du mal social, d'une cartomancie de la face criminelle. Dans cette démarche, l'individu disparaît sous le type. Le modèle original laisse place à un moule originel. Ici encore, la quête de l'archi-visage inspire la photographie. Mais un archi-visage qui serait, pour reprendre la double signification de l'*arkhé*, moins « origine » que « commandement », programme de comportement, stéréotypé dans quelques traits. La physiognomonie, criminelle ou non, a pu ainsi compter sur un auxiliaire de choix dans la photographie, qui non seulement illustre, mais démonte et démontre – comme le font *Les Portraits du comédien Carl Michel*, réalisés par Nicola Tonger[15] – la mécanique du vivant.

Si, avec la peinture, la ressemblance est conquise, avec la photographie, la ressemblance est acquise. Elle n'est pas un but, mais une donnée. Peut-on encore parler d'ailleurs de «ressemblance» quand elle est abolie par la «reproduction» à l'identique ? Quoi qu'il en soit, ce miracle de la reproduction, en assurant au portrait la garantie parfaite du «trait pour trait», a conforté la logique de l'identité et de la reconnaissance dans les premiers temps. Puis la photographie s'est employée à conquérir son autonomie par rapport à la fatalité de l'identique. Pour être un art, en effet, il lui faut faire la preuve de sa capacité transformatrice. Les photographes, maintenus dans la stricte observance du réel, ont dû forcer le verrou de l'illusion mimétique. Le point de vue du photographe a pris le relais pour infléchir le programme photographique : ne plus «tirer» le portrait, mais tourner autour, s'inscrire dans la périphérie, dans une sorte de marginalité.

Sans aller jusqu'à oublier le visage – à l'instar de la démarche radicale du photographe américain John Copans qui, depuis 1984, intitule délibérément autoportraits des gros plans sur un pied, une main, une oreille –, cette libération conduit le photographe à échapper à l'évidence du visage. Nadar donne à cette volonté d'évitement la forme ironique, voire burlesque, d'une nuque de femme. Celle de l'actrice Marie Laurent[16], immortalisée vers 1856. Dans une sorte de cache-cache voluptueux avec la face, l'artiste semble renverser, par une pirouette rhétorique, les perceptions : trop abîmée par les mimiques du jeu social – dans ce cas précis, celles du théâtre – la face peine à recueillir la vérité du sujet. Seul son envers (le dos «inconscient»), demeuré intact et exempt de toute éducation, est en mesure d'offrir un accès authentique au sujet.

Ce contre-pied provocateur constituerait, pour un peu, le manifeste politique du refus (tourner le dos) de la parade sociale que célèbre alors la société dorée du Second Empire.

Moins radical que cette échappatoire, le recours à la mise en scène met en concurrence le visage avec son hors-cadre – qu'il s'agisse du cadre étroit : le visage capteur (nez, bouche, yeux), ou du cadre élargi : le visage contour (la tête). Le visage cesse d'être le concept unificateur du portrait. Tous les jeux sur le dédoublement, la démultiplication des reflets, contribuent à ruiner ainsi la centralité du visage[17] dans le portrait. Le bel *Autoportrait au miroir* de Dieter Appelt[18], s'il multiplie la tête, multiplie aussi les impossibilités à y apercevoir le visage en ajoutant à cette dispersion la caution, discrètement suggérée, de l'Ecclésiaste : «Tout n'est que buée[19].» Moderne vanité.

Le *Portrait de jeune homme*, de John Léo (dit Jean) Reutlinger, daté de 1911 consacre cet abandon du dieu visage. Cette image extraordinairement concertée, classique dans sa facture de composition flamande, mêlant portrait et nature morte à la cruche, combinant les jeux de reflets sur les blancs et les zones mates, présente sur une même ligne, un même plan, et à même hauteur les trois regards : celui de la peinture, de la photographie et du miroir. La petite copie de *L'Homme au gant* de Titien (référence historique dans l'art du portrait) accompagne sans ciller et de loin, par l'effet d'une transitivité des regards, la transition qui s'effectue, sous nos yeux, d'un art du portrait peint à un art du portrait photographié. Mais déjà ce pacte de transmission paraît devoir être inquiété et rompu. Comme un écho parasite, la présence du miroir – reflet ici de l'absence – rappelle que tout visage ne prend vie que dans la perception d'un tiers et que, faute de cet autre, il demeure (comme l'atteste l'étymologie – *visus*, ce qui est vu) une forme vide en attente de sens. Et, d'une manière plus visionnaire encore, qu'avec la surface vaine de ce miroir, c'est l'effacement de la figure qui est programmé par le XXe siècle. Cet adieu au visage jette le trouble dans l'œil mal assuré du jeune homme, dans sa solitude de liane humaine, dont le cou, déjà raidi par le col amidonné de la chemise blanche du condamné, semble attendre l'exécution.

Avec la tranquillité d'une image apparemment classique, la photo de Reutlinger initie le processus d'une désacralisation du visage humain et sape ainsi le socle culturel de la représentation. Ces vingt centimètres carrés de peau ne sont plus consacrés : ils ne rendent plus visible désormais, dans leur chair, la face inaccessible du divin[20]. Le visage de la créature – visage support – ne répercute plus l'éclat du voult – visage source – (de *vultus*, visage, volte – dérivé d'une racine signifiant l'envoûtement). Ce divorce ruine définitivement la possibilité de faire coïncider portrait et visage. «Portrait/visage» : comme le titre de l'exposition l'indique, portrait coupé du visage, visage coupé, face séparée à jamais de la face origine, de l'archi-visage christique[21] à l'imitation duquel les portraits majeurs se sont mesurés. L'imitation rendue impossible, c'est la possibilité même de la *mimésis* qui s'évanouit et entraîne la disparition de la figure elle-même. La face humaine – autrefois interface avec le divin – n'est plus que blessure ouverte, chair offerte à la corruption du temps, matière disponible à de nouvelles découpes comme dans les portraits «ophéliens» de Connie Imboden[22], à d'inédites déformations[23], ou matériau brut propre à un remodelage[24]. Est-ce cette catastrophe qui arrache un cri et ramasse le portrait autour de la seule bouche, comme dans le portrait de Morel Derfler[25] ou, plus spectaculairement encore, dans le *Brookie scream* de Connie Imboden[26]? Cette bascule vers la bouche primitive et hurlante trahit l'affolement du portrait qui quitte ainsi l'axe, majeur depuis le XVe siècle, des yeux et de la mise à distance du monde. Cette régression buccale, Georges Bataille la commente comme le retour de l'animalité : «Dans les grandes occasions, la vie humaine se concentre encore bestialement dans la bouche… La terreur et la souffrance atroce font de la bouche l'organe de cris déchirants. Il est facile d'observer à ce sujet que l'individu bouleversé relève la tête en tendant le cou frénétiquement, en sorte que la bouche vient se placer dans le prolongement de la colonne vertébrale, c'est-à-dire dans la position qu'elle occupe normalement dans la constitution animale[27].»

De la mise en scène à la mise à mal, voire à la mise à mort de la figure, tout ce qui peut corroder, corrompre, ronger, araser, complote à cette fin. Il faut, semble-t-il, en finir avec la tête humaine. En finir, au sens Beckettien du terme : achever, épuiser, évider, ne plus même enregistrer les perceptions (c'est le rôle des flous[28], ou de l'obscurité totale[29] de certains portraits), juste laisser filtrer des sensations, à peine le soupçon d'une présence.

Il faudrait plus de quelques lignes pour dire les raisons de l'amour du portrait. Platon, dans l'*Alcibiade*[30], donne peut-être une clef : «Tu as remarqué, bien sûr, que le visage de celui qui regarde l'œil de quelqu'un apparaît, comme dans un miroir, dans l'œil qui se trouve en face, dans la partie que nous appelons la pupille : c'est l'image, l'*eidôlon* de celui qui regarde.» Comment mieux dire que le portrait est en nous, qu'il habite au plus profond de nos visages, et que c'est cette intimité qui nous le rend si précieux ?

1 Baudelaire, « Salon de 1859 », dans *Curiosités esthétiques. L'art romantique*, Paris, Garnier, 1962, p. 317.

2 Voir p. 10.

3 Roland Barthes, *La Chambre claire. Note sur la photographie*, dans *Œuvres complètes*, t. V, Paris, Seuil, 1980, p. 856.

4 « Cette photographie, c'était comme une rencontre de plus ajoutée à celles que j'avais déjà faites de madame de Guermantes ; bien mieux, une rencontre prolongée, comme si, par un brusque progrès dans nos relations, elle s'était arrêtée auprès de moi, en chapeau de jardin, et m'avait laissé pour la première fois regarder à loisir le gras de la joue, le tournant de nuque, le coin de sourcils (jusqu'ici voilés pour moi par la rapidité de son passage, l'étourdissement de mes impressions, l'inconstance du souvenir) ; et leur contemplation, autant que celle de la gorge et des bras d'une femme que je n'aurai jamais vue qu'en robe montante, m'était une voluptueuse découverte, une faveur. Ces lignes, qu'il me semblait presque défendu de regarder, je pourrais les étudier là comme dans un traité de la seule géométrie qui eût de la valeur pour moi. » (Marcel Proust, *À la recherche du temps perdu*, *Le Côté de Guermantes*, cité par Brassaï, dans *Marcel Proust sous l'emprise de la photographie*, Paris, Gallimard, 1997, p. 111.)

5 « Un portrait photographique, c'est l'image de quelqu'un qui sait qu'il va être photographié » (Richard Avedon, cité dans la préface au livre *Portraits*.)

6 … le potier Butadès de Sicyone découvrit le premier l'art de modeler les portraits en argile ; cela se passait à Corinthe et il dut son invention à sa fille, qui était amoureuse d'un jeune homme ; celui-ci partant pour l'étranger, elle entoura d'une ligne l'ombre de son visage projetée sur le mur par la lumière d'une lanterne ; son père appliqua de l'argile sur l'esquisse, en fit un relief qu'il mit à durcir au feu avec le reste de ses poteries. » (Pline, *Histoire naturelle*, livre XXXV, chap. XLIII, trad. J.-M. Croisille, Paris, Les Belles Lettres, 1985, p. 101.)

7 Voir David Le Breton, *Des visages. Essai d'anthropologie*, chap. « Le miroir », p. 40, Paris, Métailié, 2003.

8 Voir p. 140, *The Masks grow to us*, 1947.

9 « … je ne sais agir de l'intérieur sur ma peau. Je décide de laisser "flotter" sur mes lèvres et dans mes yeux un léger sourire que je voudrais "indéfinissable"… Je voudrais en somme que mon image, mobile, cahotée entre mille photos changeantes, au gré des situations, des âges, coïncide toujours avec mon "moi" (profond, comme on le sait). » (Roland Barthes, *La Chambre claire*, dans *Œuvres complètes*, p. 797, Paris, Seuil, 2002.)

10 *Ibid*.

11 Voir p. 130.

12 Voir p. 30.

13 Voir à ce propos Christian Phéline, « L'image accusatrice », *Les Cahiers de la photographie*, n° 17, 1985.

14 Voir p. 64 et 65.

15 Voir p. 100.

16 Voir p. 49.

17 Voir notamment p. 87 Yvon de Broca, *Visions à 120 km / heure* et p. 143 Sonia Bossan, *Autoportrait, verre, miroir*.

18 Voir p. 183.

19 Ecclésiaste, traduction d'Henri Meschonnic.

20 « Lorsque Moïse redescendit de la montagne du Sinaï […] il ne savait pas que la peau de son visage rayonnait parce qu'il avait parlé avec lui. Aaron et tous les Israélites voient Moïse et voici que la peau de son visage rayonnait, et ils avaient peur de l'approcher… » (Exode, 34, 29-31, voir David Le Breton, *op. cit.*, p. 16.)

21 Voir, autour de l'*Autoportrait* d'Albrecht Dürer, l'article de Georges Didi-Huberman, « Le visage entre les draps », *Nouvelle revue de psychanalyse*, n° 41 (*L'Épreuve du temps*), printemps 1990.

22 Voir p. 166 Connie Imboden, *Brad portrait secret pages*, et p. 167 *Will*, 1987.

23 Voir p. 165 Olivier Christinat, *Indolence III*, 1994 et *La Gifle*, 1992.

24 Voir p. 150, Henri Lewis, *Autoportrait* (1981) ; p. 156, Maria Theresia Litschauer, *Gesichte*, 1986.

25 Voir p. 168.

26 Voir p. 167.

27 Georges Bataille, article *Bouche*, revue *Documents*, 1930, dans *Œuvres complètes*, t. I, Paris, Gallimard, 1970, p. 237.

28 Voir p. 164 Florence Chevallier, *Troublée en vérité*, 1986-1987.

29 Voir p. 158 Debbie Fleming Caffery, *Polly's black eyed susans*, 1989 et p. 159 la série *Polly*.

30 *Alcibiade*, 133 a, cité par Françoise Frontisi-Ducroux, dans *Du masque au visage. Aspects de l'identité en Grèce ancienne*, Paris, Flammarion, 1995, p. 30.

Julia Margaret Cameron (1815-1879)
Mrs Herbert Duckworth (1846-1895),
née Julia Jackson, mère de Virginia Woolf,
au moment de son premier mariage, 1867
(voir notice p. 88)

Visages d'une collection

La photographie du XIXe siècle au département des Estampes
et de la Photographie de la Bibliothèque nationale de France

Sylvie Aubenas

De la nécessité de l'autoportrait

La décision prise à l'automne 2002 par Jean-Noël Jeanneney, président de la Bibliothèque nationale de France, de créer une galerie permanente de photographie pour mettre en lumière, au rythme de plusieurs présentations annuelles, l'ampleur, la diversité et les constants accroissements des collections de l'établissement, est à la mesure de l'importance encore trop méconnue de ces fonds [1]. L'intérêt croissant des historiens de toutes disciplines, des collectionneurs et d'un large public pour les documents et les œuvres photographiques d'hier et d'aujourd'hui imposait plus que jamais de rendre visible, avec persévérance et méthode, cet ensemble qui, par sa richesse inépuisable, a vocation à constituer une référence centrale pour toute connaissance de la photographie.

Au moment où la belle galerie Mansart lui est ainsi consacrée, et à l'occasion de la première exposition qui y rassemble des œuvres des XIXe et XXe siècles, il paraît utile de retracer la formation de la collection par le Cabinet des estampes dès le XIXe siècle, dessinée précédemment, voici vingt ans, par son conservateur Bernard Marbot [2]. La photographie, un flot d'images incommensurable et sujet à de constantes mutations du regard, du goût et des perspectives théoriques, demande de temps à autre un tel coup d'œil en arrière si l'on veut éviter de s'y égarer, d'y tourner en rond ou de s'y noyer. L'enrichissement très rapide, depuis une trentaine d'années, des connaissances positives, historiques, sur la photographie du XIXe siècle s'ajoute à ces fluctuations de la subjectivité pour obliger les conservateurs à reconsidérer sans cesse les œuvres dont ils ont la charge.

La peinture, la gravure ou le dessin anciens connaissent évidemment aussi des effets de mode, réhabilitations durables ou engouements passagers, mais le domaine photographique est d'autant plus mouvant que les images s'y sont multipliées à l'infini en à peine plus d'un siècle et demi, que leurs auteurs restent en majorité peu ou mal connus, et que leur statut même est divers, incertain et flottant : des images originellement destinées à la documentation, à l'iconographie scientifique ou au divertissement privé des amateurs glissent toujours plus, sous les effets conjoints (volontairement ou non) du marché, du discours critique et de la valorisation institutionnelle, vers la consécration artistique. Ainsi une collection constituée au départ, comme on le verra, sans intention particulière et presque spontanément demande à être sans cesse repensée, réexaminée et reclassée, afin d'identifier, d'étudier et de faire connaître ce qui mérite de l'être selon des préoccupations toujours renouvelées.

Le dépôt légal et les premières acquisitions

Lorsque la première épreuve photographique originale entre dans les collections du Cabinet des estampes [3], dès 1851, c'est par le biais du dépôt légal, appliqué à l'estampe depuis 1642, à la lithographie depuis 1817, et spontanément adopté par les producteurs (auteurs ou éditeurs) de photographies. Le 6 septembre 1851, l'imprimeur lillois Louis-Désiré Blanquart-Évrard dépose les premières feuilles d'une abondante production [4] et il est aussitôt suivi par beaucoup d'autres. Certes, comme l'a rappelé Bernard Marbot, « aucun texte avant 1943 ne contraignait très explicitement [les photographes et leurs éditeurs] à une telle formalité, mais ils l'appréciaient sans doute comme une garantie donnée par l'État à la propriété de leur production ». Ainsi, au total, « si l'on s'arrête au dépôt légal effectué dans [le département de] la Seine en ne comptant pas le second exemplaire, on dénombre plus de 100 000 épreuves remises de 1851 à 1914[5] ». Ce chiffre, si élevé qu'il puisse paraître, reste pourtant faible et les lacunes sont criantes par rapport à l'ensemble de la production commerciale de l'époque. Beaucoup de photographes mineurs ou même majeurs, comme Félix Nadar, Charles Nègre, Henri Le Secq, Gustave Le Gray, Édouard Baldus, n'observèrent le dépôt légal que rarement ou jamais. Les modalités n'en étant pas fixées expressément pour la photographie, les conservateurs ne réclamèrent rien à ce titre. En revanche, ils procédaient parallèlement à de nombreuses acquisitions.

L'apport du dépôt légal, en effet, a été encore augmenté, voire démultiplié, dès le XIXe siècle, par les dons et les achats. Malgré l'absence de documents explicites, on peut dire, en se rapportant aux acquisitions effectuées dans d'autres domaines par le Cabinet des estampes à la même époque et aux fonds iconographiques qui constituaient déjà ses collections à côté des œuvres de graveurs individuels, que le principal souci des acquéreurs a été d'enrichir les fonds de documentation sur l'histoire de l'art, de l'architecture ou du costume. La précision et la valeur d'information de l'épreuve étaient seules prises en compte, notamment pour offrir aux recherches des artistes et amateurs des documents plus sûrs que les illustrations gravées des livres et périodiques. La majorité des achats concernent en effet des reproductions d'œuvres d'art, sculptures, tableaux, fresques, gravures, dessins ou cartons de tapisserie.

La conception très large qui présidait à cette politique a permis toutefois d'accueillir aussi sur les rayons des œuvres variées, dont beaucoup constituent aujourd'hui des raretés de grand prix. Ainsi, dès 1853, le Cabinet des estampes se procurait l'album publié l'année précédente par Blanquart-Évrard, contenant la première grande moisson de photographies sur papier des monuments égyptiens, due à Maxime Du Camp[6]. Suivirent, en 1853

et 1854, des achats portant sur les séries de vues de cathédrales françaises par Henri Le Secq ; en 1873, deux albums de *Vues et costumes du Japon* et des *Figures et paysages de la Nouvelle Calédonie* ; en 1878, un important album intitulé *Types et costumes de la Russie*, réalisé par Raoult ; l'année suivante, cinq albums sur le Moyen-Orient par Félix Bonfils ; en 1891, *Animal Locomotion* par Eadweard Muybridge. Enfin, cette accumulation d'œuvres originales à titre documentaire était couronnée, entre 1900 et 1927, par un ensemble de quatre mille cinq cents épreuves d'Eugène Atget, acquises en partie auprès de l'auteur et en partie par l'intermédiaire des marchands de gravures Rapilly et Le Garrec[7].

S'y ajouta très tôt la première acquisition importante du fonds d'un amateur, liée en l'occurrence à la personnalité de celui-ci : ce fut, en 1858, la collection d'Achille Devéria, célèbre artiste lithographe romantique mais aussi directeur du Cabinet des estampes entre 1855 et 1857, date de sa mort.

Les dons du XIXe siècle

Les dons, fort nombreux et généreux dès les années 1850, sont aussi bien documentés grâce au registre qui en a été soigneusement tenu[8]. On connaît ainsi la provenance et la composition des collections privées qui ont été reçues et on peut en tirer des conclusions précieuses sur les circonstances et les motifs de leur formation, donc plus largement sur les modes de circulation et les usages de la photographie à travers le temps. La diversité de ces ensembles compense providentiellement les angles morts du dépôt légal et des acquisitions.

Le premier don, dès mai 1849, consiste en « une première épreuve d'essai du premier spécimen des reproductions des médailles par la gravure photographique[9] », offerte par son auteur, le graveur Augustin-François Lemaître (1797-1870), ancien collaborateur de Nicéphore Niépce[10]. Avant l'entrée au Cabinet de la première photographie d'après nature en 1851, quelle meilleure manière que l'hommage d'une héliogravure pour préparer une séculaire collection d'estampes à accueillir l'invention de Niépce et de Daguerre ? Les dons proviennent parfois des auteurs eux-mêmes, par exemple d'Auguste Salzmann en 1859, mais bien plus souvent de collectionneurs, et la photographie y voisine avec d'autres documents, notamment des estampes. Citons entre autres le don de la collection d'Édouard Fleury en 1883 (onze mille pièces au total concernant le département de l'Aisne), le legs de l'architecte Alfred Armand[11] en 1889 (vingt mille pièces en deux cent trente volumes), ou, en 1906, l'entrée de la collection du baron Carl de Vinck relative à l'histoire de France, contenant entre autres de nombreuses photographies de la Commune de Paris[12].

À ces enrichissements aussi précieux qu'aléatoires, il faut ajouter les dépôts, faits par l'État, d'ouvrages et d'ensembles issus de commandes publiques ou ayant bénéficié d'importantes souscriptions, régulièrement confiés à de nombreuses bibliothèques publiques à Paris et en province, le Cabinet des estampes étant le destinataire privilégié des photographies. Citons seulement les quatre lourds albums de la *Réunion des Tuileries au Louvre, 1852-1857*, publiés à la demande du ministre Achille Fould et déposés en 1860. Il faut rappeler enfin l'heureuse initiative du ministère de l'Intérieur qui, dans les années 1880, procéda par convention à des échanges avec l'Angleterre : elle valut à la Bibliothèque nationale le dépôt d'un rarissime album de Muybridge, en tirages originaux sur papier salé, et de plusieurs portraits par Julia Margaret Cameron.

La place de la photographie dans les collections au XIXᵉ siècle

La logique d'entrée des œuvres par don et acquisition au XIXᵉ siècle et jusque dans les premières années du XXᵉ siècle est donc essentiellement et toujours documentaire, dans l'esprit des conservateurs mais aussi de la plupart des donateurs[13], qui eux-mêmes avaient rassemblé ces images pour une raison tout autre que l'intérêt que nous leur portons : les curiosités de Fleury de Vorges concernaient le département de l'Aisne, celles de de Vinck l'histoire de France, celles d'Armand l'art et l'architecture.

Selon cette même conception, les photographies étaient rangées dans les collections en fonction de ce qu'elles représentaient. Il n'existait pas de recueils d'œuvres au nom des photographes, toutes étant classées, à côté des estampes, dessins, etc., dans nos séries thématiques[14] : portraits, topographie, architecture, costumes, scènes de mœurs, reproductions d'œuvres d'art... (cette organisation influant en retour sur le choix des acquisitions). Même le format caractéristique de certaines photographies entrées en masse au XIXᵉ siècle par dépôt légal, en particulier les cartes de visite ou les vues stéréoscopiques, n'était pas pris en compte. Seuls les albums importants, bien reliés, surtout au sein de collections massives et thématiquement cohérentes (Armand, de Vinck, Goncourt, etc.), étaient conservés tels quels et traités comme des livres. Toutes les images et les collections en feuilles furent inéluctablement dispersées par sujets pendant tout le XIXᵉ siècle et jusqu'au second tiers du XXᵉ siècle, ce qui devait imposer, par la suite, un immense travail d'extraction et de reclassement, entrepris dans les années 1970 par Bernard Marbot et Jean-Claude Lemagny et toujours en cours pour certaines parties du fonds.

La conséquence de ce système était que les conservateurs demeuraient dans l'ignorance des noms des photographes qu'ils conservaient, ignorance qui fut de peu de conséquence tant que ces noms n'intéressèrent personne, faute d'historiens ou d'amateurs de photographies anciennes en tant que telles. Au pire, le département prenait le risque d'acquérir en double des œuvres dont on avait oublié qu'elles étaient déjà entrées par ailleurs, risque également sans gravité tant que les prix restaient modestes. Ainsi les photographies d'Égypte de John Beasley Greene, soumises au dépôt légal en 1854, ont-elles été rachetées en album en 1943. Dans le choix fait pour l'acquisition des collections Cromer, Sirot et autres, on dénombre aussi des œuvres déjà présentes sur les rayons.

Une riche sédimentation un peu désordonnée se poursuivait ainsi dans l'ombre, selon les occasions, dans l'indifférence du public. Mais peu importe sur quels critères aujourd'hui périmés ces œuvres ont été autrefois réunies, classées et conservées : ces malentendus entre générations successives font désormais partie de l'histoire de la photographie, et ce que nous serions tentés d'appeler les naïvetés, voire l'aveuglement, de nos prédécesseurs, constitue en fin de compte une richesse supplémentaire, la garantie d'une collection aux dimensions multiples, d'une incomparable épaisseur historique, au-delà de toute sélection trop simplement préconçue.

Reconnaissons que la logique documentaire n'en a pas moins provoqué quelques indéniables lacunes. Ainsi, si elle a permis, au tournant du siècle, d'engranger les œuvres d'Atget par milliers, elle a dédaigné à la même époque toute la production des photographes pictorialistes : leurs images, conçues et tirées comme des œuvres à part entière, n'intéressaient pas à ce titre les conservateurs qui, dans la période 1880-1920, ne portaient aucun intérêt à cette «photographie d'art» assez téméraire pour vouloir rivaliser avec l'estampe. Dans la controverse qui traversa le premier siècle de la photographie – art libéral ou art mécanique ? –, entre les partisans des virtualités esthétiques du médium conquérant et les défenseurs de la gravure assiégée, les préférences du Cabinet des estampes étaient sans équivoque.

La révélation tardive de la photographie ancienne

Parallèlement, dans l'entre-deux-guerres, photographes et curieux commençaient à s'intéresser activement à la photographie du XIXᵉ siècle, multipliant les collections, les publications et les expositions[15]. Certes, là encore, cette séduction nouvelle d'images anciennes reposait sur des raisons qui nous paraissent un peu courtes : plus on s'éloignait dans le temps, plus la valeur documentaire des épreuves, ressuscitant fidèlement des lieux, des objets ou des personnes désormais disparus, s'augmentait d'une valeur historique, voire sentimentale. Elles n'attiraient pas pour autant l'attention à la Bibliothèque nationale, ni dans aucune autre institution culturelle française d'ailleurs, en dépit de l'abondance des gisements qui y étaient conservés. Jamais les acquisitions n'ont été aussi faibles que dans la décennie qui précéda la guerre.

Lorsque le photographe Gabriel Cromer voulut céder à l'État, en l'occurrence au Cabinet des estampes, son extraordinaire collection de photographies anciennes, le prix demandé sembla trop élevé ; la négociation n'ayant pas abouti à sa mort, en 1934[16], l'ensemble fut cédé en 1939 à la George Eastman House (musée Kodak), de Rochester. Les tractations poursuivies avec sa veuve, dont nous conservons la correspondance, révèlent que cette occasion manquée avait au moins suscité des regrets cuisants, stimulant enfin l'intérêt des conservateurs. À partir de 1942, avec l'acquisition d'œuvres d'Hippolyte Fizeau, de Blanquart-Évrard, d'albums du Second Empire, commencent, comme pour réparer l'occasion manquée de la collection Cromer, les acquisitions historiques. Pendant toute la durée de la guerre, les relations ne cessèrent pas avec Mᵐᵉ Cromer et, en 1945, enfin, elle vendit au Cabinet mille cinq cents pièces et quelques albums qui avaient été «oubliés» dans les transactions avec Kodak. Cette heureuse conclusion mérite de symboliser une période nouvelle et particulièrement féconde en enrichissements des fonds de photographies anciennes, parallèlement au développement des connaissances. L'année 1945 est en effet marquée aussi par la parution de l'*Histoire de la photographie* de Jean Lécuyer qui, bien que vieillie, demeure une référence classique et le premier essai sérieux de synthèse, bientôt suivi des publications de Beaumont Newhall (1949), Peter Pollack (1958), Michel Braive (1965), Aaron Scharf (1968) et Helmut et Alison Gernsheim (1969).

L'immédiat après-guerre achève ainsi l'œuvre de la première génération des historiens-collectionneurs privés[17]. La prise de conscience se fait enfin jour dans l'institution du fait de rares conservateurs, comme Jean Adhémar, arrivé dans le département depuis 1932[18]. Comme on l'a souligné récemment, «on peut dire que la photographie, depuis 1945 jusqu'à une date récente, c'est-à-dire la date de création du musée d'Orsay, a été tenue à bout de bras par la Bibliothèque nationale, ou plutôt par Jean Adhémar lui-même. Il voyait dans la photographie le tournant de l'art qui, aux côtés de Daumier, instituait la modernité[19].» Cette conviction se marque par l'entrée massive d'œuvres anciennes dans les collections, et par le début d'une série jamais interrompue d'expositions. La première, en 1946, suit de près l'acquisition du reliquat de la collection Cromer.

Nouveaux enrichissements
Cette stratégie d'acquisitions était d'autant plus importante que, comme l'a écrit Anne de Mondenard, «la Bibliothèque nationale est la seule institution publique française à avoir acquis, dans les années 1940 à 1970, des blocs de collections constituées par les sauveteurs de la première génération : Cromer, Sirot, Gilles, Coursaget. Ces acquisitions ont permis de maintenir en France une partie de ce patrimoine[20].» Après la collection de Gabriel Cromer, celles de Georges Sirot[21] (1955, achat de soixante mille épreuves et de nombreux albums, suivi d'un don de quinze mille épreuves en 1956), d'Albert Gilles (1960, daguerréotypes et albums) ou de René Coursaget (1975, daguerréotypes et albums) ont donc enrichi doublement les collections. Elles ont fait entrer des dizaines de milliers d'épreuves manquantes, en compen-

sation des regrets de l'entre-deux-guerres, mais elles ont aussi conservé une partie de la mémoire de cette première génération de collectionneurs privés et de son rôle historique dans la sauvegarde de la photographie ancienne. Les efforts de Jean Adhémar furent encouragés et soutenus par le libraire André Jammes, qui avait entrepris, en 1955, d'amasser sa propre collection de photographies. Nombreuses furent les opérations – acquisitions d'épreuves et de documentation ou expositions – menées avec l'aide d'André et Marie-Thérèse Jammes, qui se révélèrent aussi plus tard de généreux donateurs.

Dès la même époque, la collection fut aussi considérablement enrichie par des achats de fonds d'atelier, essentiellement de portraitistes parisiens, selon une politique qui ne s'est pas démentie depuis et qui vise à limiter la dispersion d'ensembles dont la cohérence même est la condition de leur valeur de témoignage : Nadar en 1949[22] (archives et cinquante mille épreuves), Reutlinger en 1954 (trente mille épreuves), Otto et Pirou en 1957 (registres commerciaux, mille épreuves et six cents clichés), Seeberger en 1976 et 1977 (soixante-deux mille négatifs et les tirages correspondants), Alphonse Poitevin en 1989 (archives et plusieurs milliers d'épreuves), Eugène Disdéri en 1995 (registres commerciaux et dix-neuf mille épreuves).

Au-delà de ces acquisitions massives, l'achat, lors d'une vente organisée à Genève en 1961 par Nicolas Rauch et André Jammes, d'un précieux ensemble d'œuvres de William Henry Fox Talbot, l'inventeur anglais de la photographie, marque le début de la présence de la Bibliothèque nationale sur le marché naissant de la photographie ancienne. À partir de cette date se met en place, grâce à l'action de Jean Adhémar, poursuivie par Bernard Marbot (depuis 1970) et par moi-même (depuis 1993), une politique ordonnée d'acquisitions auprès de particuliers, de descendants d'artistes, de galeries, ou en vente publique. Elle a permis d'enrichir encore les collections d'œuvres essentielles de Fox Talbot, Gustave Le Gray, Adolphe Humbert de Molard, Frédéric Flachéron, Adalbert et Eugène Cuvelier, Ferdinand Coste, Joseph-Philibert Girault de Prangey, Louis Vignes, Louis de Clercq, Ducos Du Hauron, etc., ainsi que de nombreuses pièces uniques qui avaient échappé par définition au dépôt légal : daguerréotypes, ambrotypes, autochromes, négatifs sur papier et sur verre, albums d'amateurs, essais techniques, etc.

Les dons, modestes ou importants et parfois considérables, ont aussi continué sans interruption au XXe siècle, et on ne peut citer que quelques exemples significatifs : Maurice Tourneux a donné à la Bibliothèque nationale un album de photographies ayant appartenu à Delacroix (1899) ; le frère d'Edgar Degas, des photographies prises par le peintre (1922) ; la baronne Salomon de Rothschild, de nombreux albums dont un rarissime ensemble de vues de Rome par Giacomo Caneva (1922) ; la famille de Jacques-Émile Blanche, des épreuves collectionnées par celui-ci (1943) ; la veuve de Gabriel Cromer, des pièces de la collection de son mari (1947) ; Laurent Vizzavona, vingt mille reproductions de peintures et de sculptures, par Eugène Druet (1949) ; le comte de Simony, des daguerréotypes de Girault de Prangey (1950) ; la famille de Maurice Guibert, des œuvres de cet ami de Toulouse-Lautrec, photographe amateur (1955) ; le musée de l'Homme, huit mille photographies ethnographiques (1966) ; le Collège de France, des œuvres d'Étienne-Jules Marey (1976) ; Mme Bernard Zimmer, l'œuvre et les archives de Jean Reutlinger (1979) ; Marie-Thérèse et André Jammes, des albums de Victor Hugo (1984) puis un album d'Atget (1989), entre autres ; la famille de l'écrivain, l'œuvre photographique de Victor Segalen, avec ses manuscrits (1991 et 1999) ; Serge Plantureux, une plaque de Daguerre (2001) ; le baron d'Esneval et Didier Dezandre, des autoportraits de Roger Du Manoir, élève de Le Gray (2002) ; Daniel Blau, un album constitué par

Charles Hugo (2002) ; Gérard Lévy, près de quatre cent cinquante portraits de communards (2003)…

Exposer et s'exposer

L'action des conservateurs du département depuis la Seconde Guerre mondiale ne s'est pas manifestée uniquement par l'accroissement du fonds et, corollaire indispensable, sa mise à la disposition des chercheurs par le biais d'inventaires, mais également par une politique ininterrompue d'expositions. Les manifestations consacrées au fonds ancien sont moins fréquentes que pour les artistes contemporains parce qu'elles nécessitent un travail long et complexe de préparation savante et qu'elles portent sur des œuvres plus fragiles, mais elles ont été néanmoins nombreuses et importantes. La première, conçue et réalisée par Jean Adhémar en 1955 sous le titre *Un siècle de vision nouvelle*, retraçait les rapports entre la photographie et la peinture depuis les origines. Suivirent de gros dossiers monographiques : *Daguerre et les premiers daguerréotypistes français* (1961), *Nadar* (1965), *Hommage à Nicéphore Niépce* (1967).

Puis, à partir de 1976, grâce au travail de Bernard Marbot, une programmation plus régulière et ambitieuse est devenue possible, inaugurée par la présentation de la collection de la Société française de photographie sous le titre *Une invention du XIXe siècle, la photographie*[23]. Cet effort, poursuivi sans relâche depuis lors, doit désormais atteindre le rythme d'une exposition par an dans la Galerie de photographie (galerie Mansart), à quoi continueront de s'ajouter des présentations plus nombreuses d'œuvres contemporaines.

Afin de marquer ce nouveau recommencement, la présente exposition voudrait permettre au public d'embrasser aussi largement que possible le champ couvert par la collection, depuis son origine jusqu'à nos jours. Qu'on ne se trompe pas en effet sur le sujet proposé aux visiteurs : il ne s'agit nullement ici d'une histoire du portrait photographique, mais d'un essai de portrait de la collection, à travers une sélection librement calculée des figures qui la composent.

Il est à peine nécessaire d'insister sur cette évidence que le portrait représente un enjeu fondamental de la photographie, l'un de ses plus importants débouchés commerciaux en même temps qu'un sujet de prédilection des amateurs. La récente exposition du musée d'Orsay, «Le daguerréotype français, un objet photographique[24]», a rappelé avec éclat, si besoin était, qu'il en avait été ainsi dès l'origine du médium. On sait que les ateliers dont la floraison a couvert Paris et les autres capitales dès la publication de l'invention s'occupaient presque exclusivement de portraits, que ce commerce était devenu une véritable industrie sous le Second Empire[25], qu'il a été incarné par des figures comme Nadar ou les Reutlinger et que la part du portrait dans la pratique photographique, dans ses avatars artistiques comme dans ses usages sociaux, ne s'est jamais démentie depuis[26].

Commercial, artistique, intime, ethnographique, œuvre d'un maître, d'un excellent amateur ou d'un débutant anonyme, issu du néant ou du fonds d'un grand atelier comme Nadar ou Disdéri, en carte de visite ou en grand format, en album princier ou bourgeois, ou encore inséré dans un manuscrit d'auteur, le portrait est partout dans les collections de la Bibliothèque nationale de France. Il n'a pas manqué dans les expositions, abordé sous des angles divers. Dès 1961, sous le titre «Portraits d'hier, 1839-1939[27]», Jean Adhémar présentait un ensemble d'œuvres dues à de grands photographes (Adam-Salomon, Carjat, Nadar, etc.) ou figurant des personnages célèbres (Victor Hugo, Sarah Bernhardt, Toulouse-Lautrec, Apollinaire, etc.). En 1979, c'était «Un studio parisien : Reutlinger, 1853-1924[28]»; en 1981, «L'exotisme dans le portrait photographique au XIXᵉ siècle[29]»; en 1986, «Le corps et son image, photographies du XIXᵉ siècle[30]»; enfin, en 1994, en collabora-

tion avec le musée d'Orsay et dans ses galeries, «Nadar, les années créatrices (1854-1860)[31]».

Dessiner un «portrait» de la collection, c'est d'abord rendre compte des voies par lesquelles elle s'est constituée, telles que nous venons de les esquisser. Une fois établie cette armature de principe, la latitude d'interprétation n'a pas eu d'autre limite préalable. Ayant choisi de nous situer loin de toute démonstration historique ou illustration systématique, mais sans méconnaître les risques de la subjectivité, il s'est agi d'opérer un choix significatif. Le goût et les préférences individuelles jouent évidemment, comme dans toute exposition (et dans toute œuvre humaine), un rôle qu'il serait vain et même néfaste de vouloir nier; notre sélection s'appuie cependant plus largement sur une manière d'appréhender les photographies qui s'est insensiblement développée depuis quelque vingt-cinq ans, plus souvent appliquée par accord implicite des amateurs et des spécialistes que formulée à l'intention du public. Ce sera l'occasion d'en dire ici quelques mots.

Une page d'histoire du goût

Éliette Bation-Cabaud[32] raconte que c'est un portrait qui fit de Georges Sirot un collectionneur de photographies :

«C'est ainsi qu'en 1919, par hasard, il découvrit une photographie de la *Galerie contemporaine* de Nadar, représentant George Sand. Les traits lourds de ce visage le déçurent car ils ne correspondaient pas à l'image idéale qu'il s'était faite de Lélia, la femme de génie si ardemment aimée. "George Sand était devant moi, avec ses beaux yeux, mais aussi avec ses traits masculins et ses lèvres sensuelles. Cette image vivante, si lointaine de l'Aurore Dupin que je m'imaginais, m'expliqua brusquement Chopin, Musset et les autres. Ah! comme ce portrait m'en disait plus long que le tableau de Couture." Après l'étonnement de cette découverte, le vrai visage de Sand, point de départ de sa collection et figure du destin (même prénom et mêmes initiales que lui), il recherchera d'autres portraits, qui lui rendront plus réels les écrivains, musiciens, artistes, et tous les personnages du XIXᵉ siècle, son époque de prédilection. Dès lors, il vouera un culte à "l'objectif qui ne sait pas mentir", fasciné par ces photographies si révélatrices de ce qu'étaient, à une date donnée, ces êtres dont il était curieux. »

Si comme Georges Sirot, nous pouvons éprouver un choc ou une révélation devant certaines images, notre émotion est de nature très différente. L'abondance des reproductions de photographies anciennes sur tous supports nous a rendu familier le visage de George Sand et il serait hors de propos de vouloir reconstituer aujourd'hui comme au temps de Jean Adhémar une galerie de célébrités désormais entrée dans le « musée imaginaire » de tout un chacun.

Notre regard, notre goût et nos choix évoluent. André Jammes constate, après avoir regardé et choisi des œuvres pour sa collection pendant près de cinquante ans : « Si je faisais aujourd'hui une exposition sur ce que fut ma collection, elle serait assurément très différente de celles que j'ai pu organiser dans les années soixante ou soixante-dix. Ce goût de la redécouverte, cette sélection que l'on peut faire dans les épreuves anciennes pour y trouver les sources des créations modernes, est absolument étonnant et me passionne[33]. » Dans les années 1950, en effet, il s'agissait de poser les bases de travaux historiques, d'étayer les intuitions des premiers collectionneurs et historiens. Les travaux sur Nadar, Charles Nègre ou les calotypistes français et anglais débutaient et les œuvres importantes étaient celles qui permettaient d'asseoir la recherche. La redécouverte historienne a permis de repérer un certain nombre d'œuvres majeures et de poser des jalons techniques ou esthétiques ; elle est désormais sinon accomplie du moins bien avancée (le champ après tout n'est pas si vaste). Cette connaissance plus ferme sert aussi de guide aux recherches présentes et futures, et de

garde-fou contre les expertises hasardeuses ou les griseries de la surinterprétation. Dans le foisonnement de la production photographique ancienne, c'est surtout à partir des années 1980 qu'on a commencé à se repérer correctement, et la liberté nouvelle ainsi assurée a ouvert la voie à une vision plus intuitive et éclectique. Par ailleurs, le travail accompli depuis les années 1930 a permis de faire entrer peu à peu l'histoire de la photographie dans l'histoire de l'art ; du moins l'histoire de la photographie a-t-elle fini par appliquer au corpus qui est le sien les questions et les méthodes propres à l'histoire de l'art. Mais la diversité souvent inclassable des images et l'absence d'intention artistique consciente de nombre d'auteurs (savants, amateurs, voyageurs et mille autres cas de figure) conduisaient, de ce côté aussi, à imaginer des critères spécifiques d'appréciation.

On sait, depuis longtemps, que l'art et l'esthétique ne vont pas forcément de pair et que, si l'art peut être dépourvu de beauté, il peut être rejoint par des objets d'où toute intention artistique était absente. Une fois les Nadar, Le Gray ou Talbot intronisés comme l'alpha et l'oméga de l'art photographique, la curiosité s'est aussi étendue de plus en plus largement. Déjà les surréalistes avaient fait d'Atget l'artiste qu'il niait être[34]. Les amateurs, les collectionneurs, puis, à leur suite, les conservateurs et la critique ont repris cette leçon, transmuant l'immense corpus des images photographiques en un monde d'œuvres possibles, voire de potentiels *ready-made*. Il s'est agi, en partie, de manifester les résonances de la révolution photographique dans les conceptions artistiques contemporaines, mais il y a plus : ces conceptions elles-mêmes ont légitimé, en retour, l'appropriation subjective de tout l'existant.

La génération des années 1980 surtout, inspirée par une curiosité sans limites et sans *a priori*, par une culture visuelle désireuse d'englober l'art depuis ses origines et sous toutes ses formes, par une vision du monde où Pierre

Larousse rejoignait Marcel Duchamp, le Bottin mondain, les bouleversements du monde contemporain, l'histoire des sciences jusqu'à la science-fiction ou le cinéma jusqu'à la série Z, a vu la photographie comme un champ infini de découvertes à faire. Chacun est devenu libre de constituer, à son usage, un équivalent de la désormais célèbre étagère d'André Breton[35], de faire se côtoyer les chefs-d'œuvre reconnus, l'art primitif, l'art brut et les cailloux ramassés sur la plage. À côté des œuvres de Nadar, Cameron ou Steichen, sont venus se ranger, sur l'étagère, les anonymes, les essais scientifiques et les curiosités de tirage ou de cadrage, jusqu'aux ratages poétiques des plus modestes albums de famille.

Les intuitions et les propositions de ces années forment le socle sur lequel nous travaillons encore. Elles ont été d'abord défendues dans les pages de la revue *Photographies*, dirigée par Jean-François Chevrier entre 1983 et 1986. Elles ont été mises en œuvre parallèlement par les galeristes Hugues Autexier et François Braunschweig[36], qui ont eu une influence directe sur la formation des collections de Sam Wagstaff[37], de Suzanne Winsberg, de Pierre Apraxine (collection Gilman, New York), de Gérard Lévy, et sur certains choix d'acquisition faits à la même époque par le musée d'Orsay. Elles ont été parfaitement illustrées dans deux catalogues fondamentaux, *L'Invention d'un regard (1839-1918)*[38] en 1989 et *The Waking Dream, Photography's First Century*[39] en 1993.

On les retrouve dans les travaux de Michel Frizot, qui a sans doute le plus contribué à définir, en théorie et en images, les caractères spécifiques de l'esthétique photographique, en particulier à travers les textes et la riche iconographie de la *Nouvelle Histoire de la photographie* qu'il a dirigée[40]. Elles se prolongent sous des formes variées dans la collection constituée par Petros Petropoulos pour Première Heure, dans les *snapshots* anonymes et singuliers rassemblés par Thomas Walther[41], dans les catalogues paradoxaux du libraire Serge Plantureux ou dans le pas-

sionnant petit ouvrage que Clément Chéroux vient de consacrer à la *Fautographie : petite histoire de l'erreur photographique*[42]. Le marché lui-même, galeries et ventes publiques, orienté par les préférences des collections privées ou publiques, leurs acquisitions et leurs expositions, a assimilé sans tarder les critères ainsi définis.

La collection de la BNF, constituée, comme on l'a vu, depuis plus de cent cinquante ans sur des principes patrimoniaux, historiques et encyclopédiques, pourrait sembler difficilement conciliable avec de pareilles perspectives. Pourtant, si la lenteur de sa genèse et le caractère longtemps aléatoire des strates successives qui lui donnent forme la situent à l'opposé d'un rassemblement volontairement subjectif, marqué par une personnalité et un moment, son ampleur et sa profondeur mêmes permettent à chacun d'y effectuer des plongées semblablement inspirées et des choix infiniment variés. Non moins qu'à l'illustration ordonnée des sujets monographiques ou thématiques, comme toutes les encyclopédies, elle se prête à d'inépuisables flâneries postmodernes.

Épreuves de choix, choix des épreuves

Au-delà de l'éclectisme du jugement, un autre critère, plus stable, de sélection des épreuves s'est peu à peu installé, sans doute à la suite de la naissance d'un marché, donc d'une cote commerciale des épreuves : c'est une échelle d'appréciation matérielle des exemplaires, comme il en existe pour ces autres multiples précieux et codifiés que sont l'estampe ou le livre ancien. Il est communément admis désormais qu'une belle épreuve, quels qu'en soient l'auteur, le sujet ou la technique, doit montrer une qualité matérielle aussi parfaite que possible, quant au tirage et à l'état de conservation. Les teintes les plus recherchées sont les plus vigoureuses[43], de préférence dans une tonalité qui soit en harmonie avec le sujet. L'imperfection de l'exemplaire ne saurait être relativisée que par sa rareté, surtout quand s'y ajoutent l'étrangeté ou l'intérêt historique. Dans le cas d'images connues en un seul exemplaire, si l'œuvre est importante, on passera outre plus facilement.

Par ailleurs, les photographes, à une époque de technique artisanale et individuelle, ont pris plus ou moins de soin du tirage de leurs épreuves, et les hautes exigences que l'on peut appliquer aux œuvres d'artistes comme Eugène Atget ou Gustave Le Gray seraient déplacées s'agissant de clichés d'amateur, dont l'imperfection est souvent le propre, ou de documents scientifiques. À l'inverse, certains défauts sont devenus, à travers le prisme de la sensibilité contemporaine, des qualités esthétiques involontaires : marbrures, coulures du collodion, autres accidents techniques mystérieux. Par l'usage qu'il a fait de la solarisation, Man Ray a donné rétroactivement du prix à nombre d'épreuves surexposées.

Le soin apporté à acquérir ou à exposer la plus belle épreuve possible nous apparaît maintenant comme une évidence, pourtant c'est une préoccupation étonnamment récente, qui va de pair avec l'extension du statut artistique de la photographie au détriment des seules valeurs de témoignage technique ou historique. En 1961, l'exposition « Portraits d'hier, 1839-1939 » présentait encore, dans un souci d'exhaustivité, beaucoup de reproductions modernes (et assez médiocres) d'œuvres conservées dans des institutions étrangères. Un tel accrochage permettait au public de découvrir des images qui n'étaient pas ou peu reproduites dans les livres et dont on n'aurait pas imaginé de payer le transport jusqu'à Paris. Ce qui était il y a quarante ans un effort louable de pédagogie est devenu inimaginable.

L'image photographique, parce qu'elle incorpore une parcelle de la réalité, et parce qu'elle est susceptible de nombreux tirages dans le temps par son auteur ou par d'autres et, pis encore, reproductible par des moyens eux-mêmes photographiques, a déjà un statut fragile, ambigu, malaisé à expliquer et à justifier. La photographie ancienne est doublement difficile à montrer : le spectateur, de prime abord, ne voit pas l'image dans sa matérialité mais ce qu'elle représente, d'autant plus que la distance temporelle lui rend ce sujet plus sensible et que lui-même, contrairement aux hommes du XIXe siècle, est chaque jour plongé presque inconsciemment dans un bain de photographie. Souvent, même, un œil non averti ne perçoit spontanément aucune différence entre une épreuve originale aux profondes tonalités bleues ou mordorées et sa reproduction imprimée en noir et blanc ou dans les insipides bichromies baptisées « sépia » qui ont longtemps paru l'idéal du fac-similé. Il importe d'autant plus de présenter avec insistance au public des tirages anciens (des *vintage*, pour reprendre le terme consacré par le franglais des collectionneurs) si l'on veut à la fois défendre la légitimité artistique des œuvres et en faire saisir la vérité dans le temps. L'ambiguïté persistera inévitablement car elle est inhérente à la nature de la photographie, mais le choix de l'exemplaire n'en est que plus déterminant : plus parfait il sera, plus le champ des perceptions possibles demeurera ouvert.

Un portrait en cent visages

La présente sélection résulte donc du croisement de perspectives multiples, rendu possible et significatif par la position du portrait au carrefour de toutes les pratiques photographiques. C'est une plongée dans un fonds qui ne le cède en rien aux collections d'imprimés de la Bibliothèque comme « mémoire du monde » et dont on peut seulement suggérer les richesses, mais aussi une évocation des regards toujours nouveaux portés sur le médium par ses contemporains comme par la postérité.

On verra réunies une centaine d'épreuves du XIXe et du début du XXe siècle, de genres, d'auteurs et de provenances variés, librement groupées en six sections qui répondent à autant de facettes constitutives de la photographie : portraits d'atelier, études de plein air, cartes de visite, portraits d'amateurs et d'artistes de la fin du siècle, autoportraits, applications de la précision photographique au catalogue du genre humain.

Au sein de ces thèmes très généraux, on a fait une large place aux œuvres inédites ou peu connues dues à des artistes de la stature de Nadar, Atget, Disdéri, Cuvelier et Vallou de Villeneuve : même chez ceux que nous croyons connaître, nous ne sommes pas au bout des surprises. À côté d'eux, des photographes plus rarement exposés mais dont les œuvres sont souvent admirables, comme Miot, Crémière, Raoult, Rumine, Langerock, Petit, Potteau, Dornac. D'autres, «petits maîtres» totalement méconnus, comme Goplo, Gerschel, Bonnevide, Betbeder ou Broca, méritent aussi d'être découverts. Enfin, une part importante revient nécessairement aux plus inventifs des amateurs, célèbres comme Cameron, Guibert ou Montesquiou, ou anonymes comme cet auteur de la fin du XIXe siècle dont la famille a légué à la bibliothèque plus de huit mille tirages.

Il s'agit aussi de rappeler que le portrait au XIXe siècle peut être bien autre chose qu'une galerie de sombres barbus entre une colonne tronquée et un rideau. Une large place revient aux œuvres qui renversent les conventions ou les tournent en dérision, révélant combien les stéréotypes du genre étaient déjà perceptibles. L'ouverture sur le monde, personnalités étrangères en France ou portraits pris à l'étranger, de la Russie au Sénégal et à Terre-Neuve, a été également privilégiée. Le genre a été ensuite étendu au-delà de ses bornes conventionnelles, aux ombres chinoises, aux synecdoques visuelles, aux photomontages, aux statues, aux animaux et jusqu'à cette limite que constitue le portrait d'un objet.

Cette sélection est traversée par les virtualités du hasard et les singularités de la forme, involontaires ou expérimentales. Ainsi l'autoportrait fortuit du photographe, reflet ou ombre, qui apparaît presque comme un genre en soi, doté d'une riche postérité au XXe siècle [44].

Parmi les accidents techniques, on verra les coulures de collodion sur la figure d'Ingres, «portrait baroque de ce peintre qui fut un champion du classicisme [45]»; ou une mouche russe collée sur une plaque sensible, qui nous renvoie à son insu aux trompe-l'œil de la peinture ancienne [46]. Enfin, dans les cyanotypes rehaussés d'argent et encerclés d'arabesques par Robert de Montesquiou, l'accord entre la couleur bleue du tirage et les fantaisies surajoutées offre l'exemple d'un jeu esthétique avec les caractères propres de l'épreuve – bien différent de l'«esthétique photographique» telle que l'a canonisée la critique moderne, mais qui n'est pas sans préfigurer de loin les photographies retravaillées par divers moyens de certains artistes actuels.

1 Rappelons cependant qu'à l'initiative de Jean-Claude Lemagny, une première galerie de photographie a pu exister entre 1971 et 1986 : voir Bernard Marbot, « Un défi : la galerie photographique de la Bibliothèque nationale », dans *Nouvelles de la photographie. Bonjour, monsieur Lemagny*, Paris, Comité national de la gravure française, 1996, p. 84-87.

2 Dans Weston Naef et Bernard Marbot, *Regards sur la photographie en France au XIXe siècle. 180 chefs-d'œuvre du département des Estampes et de la Photographie*, catalogue d'exposition (Paris, Petit Palais, et New York, Metropolitan Museum of Arts), Paris, Berger-Levrault, 1980 ; puis Bernard Marbot, « Guide d'une collection. Collections de la Bibliothèque nationale », *Photographies*, n° 1, printemps 1983, p. 78-85 ; *idem*, « Du marché aux puces à la Bibliothèque nationale », *Photogénies*, n° 3, octobre 1983, p. [32-33] ; *idem*, « Un art nouveau au milieu d'une vieille civilisation », *Nouvelles de l'estampe*, n° 108, décembre 1989, p. 24-34.

3 Devenu département des Estampes et de la Photographie en 1972. Bernard Marbot a été chargé de la collection de photographies anciennes au département des Estampes et de la Photographie de 1970 à 2003.

4 Isabelle Jammes, *Blanquart-Évrard et les origines de l'édition photographique française. Catalogue raisonné des albums photographiques édités, 1851-1855*, Genève / Paris, Droz, 1981.

5 Bernard Marbot, « Guide... », déjà cité, p. 78 et 82. Une première description du dépôt légal de la photographie existe dans la loi du 19 mai 1925 : peu applicable, il ne concerne que les œuvres mises publiquement en vente et non les commandes ou les créations.

6 *Égypte, Nubie, Palestine et Syrie. Dessins photographiques recueillis pendant les années 1849, 1850 et 1851, accompagnés d'un texte explicatif et précédés d'une introduction de Maxime Du Camp...*, Paris, Gide & Baudry, 1852. Le South Kensington Museum de Londres (aujourd'hui Victoria and Albert Museum) procède à la même première acquisition photographique la même année : Elizabeth Anne McCauley : « Invading industry. The South Kensington Museum and the entry of photographs into public museums and libraries in the nineteenth century », dans *The Museum & the Photograph, Collecting Photography at the Victoria and Albert Museum, 1853-1900*, Williamstown (MA), Clark Art Institute, 1998, p. 23-70.

7 Sylvie Aubenas, « Le photographe et le conservateur », dans *Atget le Pionnier*, Paris, Marval, 2000, p. 48-49.

8 Volumes manuscrits conservés à la réserve du département.

9 BNF, département des Estampes et de la Photographie, Ye1 réserve, Archives (1847-1880), folio.

10 Voir Quentin Bajac et Dominique Planchon de Font-Réaulx dir., *Le Daguerréotype français. Un objet photographique*, Paris, RMN, 2003, p. 137 et 219.

11 Tiphaine Zirmi, « Alfred Armand (1805-1888), un architecte collectionneur », thèse pour le diplôme d'archiviste paléographe, 2003, 2 vol. dactyl. (résumé : École nationale des chartes, *Positions des thèses*, 2003, p. 213-220).

12 Laure Beaumont-Maillet, « Les collectionneurs au Cabinet des estampes », *Nouvelles de l'estampe*, décembre 1993, n° 132, p. 5-30.

13 Sylvie Aubenas, « Le photographe... », déjà cité, p. 47-48.

14 Ce type de classement de la photographie par sujets plutôt qu'au nom des artistes se retrouve dans toutes les collections anciennement constituées (bibliothèques de l'École nationale supérieure des beaux-arts, des Arts décoratifs, des Ponts et Chaussées, du musée des Monuments français, etc.).

15 Quentin Bajac, « Nouvelle vision, ancienne photographie », *48 / 14. La Revue du musée d'Orsay*, n° 16, printemps 2003, p. 74-83.

16 Janet Buerger, *French Daguerreotypes*, Rochester, 1989, et Quentin Bajac, « Nouvelle vision... », déjà cité, p. 83.

17 Anne de Mondenard, « La ronde des collectionneurs », dans *Une passion française. Photographies de la collection Roger Thérond*, Paris, 1999, p. 17-40 ; Quentin Bajac, « Nouvelle vision... », déjà cité.

18 Il en fut le directeur de 1961 à 1977.

19 « Entretien avec André Jammes. Propos recueillis par Serge Lemoine, directeur du musée d'Orsay, et Quentin Bajac, conservateur, le 30 octobre 2002 », *48 / 14. La Revue du musée d'Orsay*, n° 16, printemps 2003, p. 111.

20 Anne de Mondenard, « La ronde... », p. 29.

21 Bernard Marbot, « Du marché aux puces... », déjà cité.

22 André Jammes, « L'atelier Nadar, dispersé et retrouvé », dans *Nadar. Les années créatrices, 1854-1860*, Paris, RMN, 1994, p. 2-5.

23 La liste complète de ces manifestations jusqu'en 1982 est donnée dans Bernard Marbot, « Guide... », déjà cité.

24 Du 13 mai au 17 août 2003. Catalogue sous la direction de Quentin Bajac et Dominique Planchon de Font-Réaulx, Paris, RMN, 2003.

25 Elizabeth Anne McCauley, *A. A. E. Disdéri and the Carte-de-visite Portrait Photograph*, New Haven / Londres, Yale University Press, 1985 ; *idem, Industrial Madness. Commercial Photography in Paris, 1848-1871*, New Haven / Londres, Yale University Press, 1994.

26 Michel Frizot, *Identités. De Disdéri au photomaton*, Paris, CNP, 1985.

27 Le catalogue donne les notices des 246 pièces exposées, quoique sans illustrations.

28 Jean-Pierre Bourgeron, *Les Reutlinger, photographes à Paris (1850-1937)*, Paris, 1979.

29 Jean Sagne, « L'exotisme dans le portrait photographique au XIXe siècle », *Revue de la Bibliothèque nationale*, n° 1, septembre 1981, p. 27-36.

30 Catalogue par Bernard Marbot et André Rouillé, Paris, Contrejour, 1986.

31 Catalogue : Paris, RMN, 1994.

32 Éliette Bation-Cabaud, « Georges Sirot, 1898-1977 : une collection de photographies anciennes », *Photogénies*, n° 3, octobre 1983, p. [7].

33 « Entretien avec André Jammes... », déjà cité, p. 107-108.

34 Guillaume Le Gall, « Atget, figure réfléchie du surréalisme », *Études photographiques*, n° 7, mai 2000, p. 90-107.

35 Conservée au Centre Georges Pompidou.

36 Galerie Texbraun, 12, rue Mazarine, de 1980 à 1987.

37 Aujourd'hui à Malibu, J. Paul Getty Museum.

38 Exposition organisée en 1989 par la Bibliothèque nationale et le musée d'Orsay (présentée au musée d'Orsay).

39 Catalogue par Pierre Apraxine, Maria Morris Hambourg *et alii*, New York, Metropolitan Museum of Art, 1993.

40 Paris, Bordas / Adam Biro, 1993.

41 *Other Pictures*, Santa Fé, Twin Palms, 2000.

42 Clément Chéroux, *Fautographie. Petite histoire de l'erreur photographique*, Crisnée (Belgique), Yellow Now, 2003, p. 69-125.

43 En quoi on peut trahir les critères d'appréciation plus nuancés des contemporains, en valorisant une épreuve qu'ils auraient jugée trop sombre.

44 Clément Chéroux, *op. cit.*

45 Bernard Marbot, *Regards sur la photographie en France au XIXᵉ siècle : 180 chefs-d'œuvre du département des Estampes et de la Photographie,* Paris, Berger-Levrault, 1980, notice 78.

46 André Chastel et Giorgio Manganelli, « Cherchez la mouche », *FMR*, nᵒ 1, avril-mai 1986, p. 69-92.

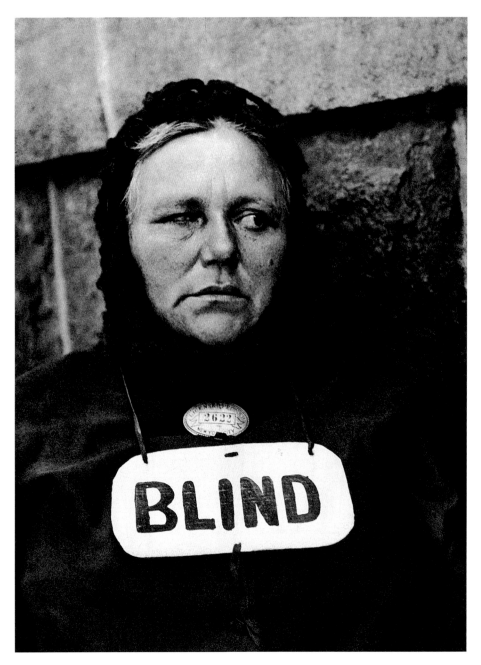

Paul Strand (1890-1916)
Blind woman, New York, 1916

Photogravure, Camera Work, n° XLIX-L, juin 1917
Don 340381
22,5 × 16,5 cm
Rés. Ad-1940-8

La véritable image

Anne Biroleau

« La ressemblance n'est pas un moyen d'imiter la vie, mais plutôt de la rendre inaccessible, de l'établir dans un double fixe, qui, lui, échappe à la vie[1]. »
Maurice Blanchot

Les photographies modernes et contemporaines présentées ici ont été rassemblées en partant de ce postulat très arbitraire qu'un courant vivant et actif du portrait photographique moderne trouve son origine dans l'utilisation du médium par Alphonse Bertillon. La photographie anthropométrique a engendré la « photo d'identité », reformatée « photomaton », si visible et banale que nul ne s'avise de cette généalogie. Pourquoi ce format élaboré selon des paramètres coercitifs, éliminant le contexte personnel ou historique, a-t-il créé une inquiétude suffisante pour être interrogé avec cette insistance par les artistes ? Sans doute parce qu'il touche à l'essentiel : le visage humain.

Ce choix ne prétend évidemment pas réduire le portrait photographique moderne à cette seule thématique. Il aurait été aisé, au sein des cent quatre-vingt mille pièces de la collection du département des Estampes et de la Photographie, de privilégier une autre voie. Le portrait social, s'il s'est transformé depuis Eugène Atget ou August Sander, n'a pas cessé d'être pratiqué. Le portrait ethnologique ou le portrait en couleur pouvaient nourrir la réflexion... Les œuvres présentées témoignent d'un courant vivant transmis de Paul Strand à Dieter Appelt, d'André Kertész et Raoul Ubac à Rossella Bellusci, Florence Chevallier, Diane Arbus, d'autres encore.

L'invention de la photographie n'a pas entraîné la disparition de l'art du portrait peint. Cet art ne s'est pas non plus déversé tel quel dans la pratique de photographes à la recherche de solutions techniques ou plastiques. « Daguerréotype : remplacera la peinture ». Flaubert iro-nisait sur les idées reçues... L'art du portrait photographique s'est affranchi peu à peu du modèle pictural, inventant et affinant son propre vocabulaire et influençant à son tour le genre dont il s'était détaché.

L'histoire et l'esthétique du portrait évoluent, des fractures parcourent ce massif, entraînent des transformations accidentelles ou volontaires.

De l'absence de représentation du visage dans l'art préhistorique, qui étonnait tant Georges Bataille, à la réduction à une trace anonyme de la « figure » avec sa charge de froideur géométrique, en passant par l'ostentation du portrait en gloire et l'autosatisfaction du portrait édifiant, un chemin se trace. Il aboutit non à l'absence, qui demeure une forme de présence, mais au vide du solipsisme. L'individu en germe dans la pensée des Lumières[2] se matérialise devant l'objectif de Bertillon. Le solipsisme induit son mode de représentation, et entre chocs, basculements, effondrements, la représentation de l'homme mène à ce visage menacé par le nihilisme, exploré jusqu'à l'usure. En témoignent la confrontation parfois violente des œuvres elles-mêmes et la réflexion esthétique menée à leur propos au cours du temps.

Il faut examiner quelques exemples de l'histoire du portrait et de la théorie esthétique dont il fit l'objet pour entrevoir par quels moyens la photographie a pris le relais d'un genre pictural qui s'exténuait, l'a quelque temps imité, avant de former son propre vocabulaire.

À la recherche de la nature de la photographie, certains artistes suivent une voie étroite et rêche. Leur travail trouve sa substance dans le pessimisme, explore les recoins les plus sombres de leur art afin d'y découvrir un visage.

L'un des axes de réflexion de Georges Bataille, dans son approche de l'art préhistorique, porte sur l'absence presque totale de représentation du visage humain, et sur la signification possible de cet effacement.

« Les traces, qu'après leurs millénaires nombreux ces hommes nous ont laissées de leur humanité, se bornent – il s'en faut de bien peu – à des représentations d'animaux […]. L'homme de l'âge du renne […] disposait jusqu'à la virtuosité des ressources du dessin, mais il dédaignait son propre visage : s'il avouait la forme humaine, il la cachait dans le même instant ; il se donnait à ce moment la tête de l'animal. Comme s'il avait honte de son visage et que voulant le désigner, il dût en même temps se donner le masque d'un autre[3]. »

La représentation de la face humaine n'est cependant pas totalement absente des vestiges de l'art préhistorique. La grotte d'Altamira (Espagne) laisse apparaître un relief transformé en visage ou en masque. Deux yeux surmontés d'une arcade sourcilière, et une bouche : la face réduite aux signes utiles, un pictogramme. L'absence de représentation picturale de l'humain ne signifie pas pour autant l'absence d'une conscience du visage. Ici le besoin de représentation est autre. La capacité de manifester ordre et sens s'exerce sur le monde, le contexte.

La découverte, sur le site de Jéricho, de crânes surmodelés vers 8000 avant J.-C. témoigne d'une évolution dans la perception de soi-même. « L'intérieur du crâne était rempli, solidement bourré d'argile, les orbites également remplies d'une argile qui servait de support pour des coquillages figurant les yeux […]. Les traits du visage, le nez, la bouche, les oreilles, les sourcils, ont été modelés avec une finesse extraordinaire […]. Chaque tête possède un caractère individuel fortement marqué, bien que la méthode de modelage soit la même pour tous[4]. »

Étaient-ce des portraits ? On se saurait répondre à la question de la ressemblance, mais la différenciation, la personnalisation des traits montrent à l'évidence qu'il s'agit bien de cela. Leur destination n'est pas clairement établie. Une démarche lucidement artistique est contestable, en l'absence de tout contexte figuratif permettant de les apparenter à un style[5]. Il n'en demeure pas moins qu'il s'agit de visages, et de visages pourvus de traits distinctifs. Modelées autour de restes humains, ces sculptures tiennent à la fois de la relique et du portrait. Le modèle, le mort, est présent à l'intérieur de son effigie. Georges Didi-Huberman insiste sur la nature indiciaire de ces modelages.

Les possibilités de représentation de l'humain se situent d'emblée dans cette oscillation entre le signe et son contact au référent, la recherche de la ressemblance, et l'élaboration d'un système plastique.

Les retournements à venir sont présents dans le passage d'une absence de représentation à une présence représentée.

À défaut d'histoire, il fallait un mythe.

L'origine légendaire du portrait, trait dessiné autour d'une ombre portée, témoigne du souci d'établir et fixer immédiatement dans le réel l'apparence d'un être, de restituer une ressemblance aussi exacte que possible. C'est la thèse de la *circumductio umbræ*, dont la fortune dans la littérature va de Pline à Charles Perrault.

La question de la ressemblance, déjà en germe dans le mythe, ne cesse de nourrir la réflexion philosophique chez les Grecs.

Le concept de *mimèsis* préoccupe Platon et Aristote. Les acceptions du mot grec font apparaître au moins trois notions dont une seule concerne les arts plastiques : reproduction de l'image ou de l'effigie d'une personne ou d'une chose sous une forme matérielle. « *Mimèsis* sera un terme décisif en esthétique alors qu'à travers les textes de Kallistratos, par exemple, qui écrivait de statues […] on reconnaît pour le sens que d'aucuns voudraient attribuer à *mimèsis* (d'imitation poussée jusqu'à la ressemblance) l'usage au demeurant plus attendu, d'*homoiotès*, traduit chez Cicéron, Pétrone, Vitruve ou Pline, par *similitudo*. C'est ce terme qui convient pour signifier l'idéal de ressemblance que proposent, à travers, parmi d'autres, l'anecdote célèbre du concours entre Zeuxis et Parrhasios[6]. »

Le rapprochement établi par Aristote entre *poièsis* et *mimèsis*, construction et ressemblance, énonce l'idée d'imitation d'un modèle existant et insiste sur la nécessaire refonte de ce matériau par le travail de l'artiste.

Ce point de vue trouve un écho dans la théorie esthétique élaborée, entre autres par Hegel, qui ne cherchait pas, cependant, à constituer l'autonomie de l'art.

« Même le peintre de portraits, qui est celui qui s'intéresse le moins à l'idéal dans l'art, doit flatter, au sens que nous donnons à ce mot, c'est-à-dire qu'il doit laisser de côté toutes les particularités extérieures de la figure et de l'expression, de la forme, de la couleur, des traits du visage, tout le côté naturel de l'existence bornée, poils, pores, cicatrices, taches de la peau, etc., pour ne reproduire que le caractère général du sujet et ses propriétés spirituelles permanentes. Reproduire une physionomie par la seule imitation, telle qu'elle se présente au repos, tout en surface et extériorité, et reproduire les vrais traits, ceux par lesquels s'exprime l'âme même du sujet sont deux procédés totalement différents[7]. »

Cette prescription n'est pas la garantie d'une ressemblance. Winckelmann s'élevait contre les travaux de portraitistes qui, ne parvenant pas au beau, le recherchaient dans les petits détails, confondant ainsi la vérité et la caricature. La position plus radicale de Hegel, considérant la nécessité d'une « purification » qui « crée l'idéal » aboutit à l'élaboration d'un modèle dépourvu de référent, une sorte de « type », de Modèle. « L'art laisse de côté tout ce qui dans le phénomène ne correspond pas au concept. » Approfondissant l'esthétique du portrait, Hegel ajoute que « le peintre doit posséder un sens de la physiognomonie affiné pour traduire la particularité d'un individu[8] ».

Ce qui est réfuté dans la *Phénoménologie de l'esprit* (phrénologie, physiognomonie…) est réhabilité dans l'*Esthétique*, contradiction liée au statut de l'art lui-même, investi d'un rôle d'intermédiaire entre finitude de la nature et liberté de la pensée, pris en étau entre platonisme, néoplatonisme et manifestation phénoménale.

La théorie et la pratique du portrait occidental se sont développées dans cette dialectique entre similitude et idéalisation. Cette tension féconde rendait possibles évolutions et révolutions.

Le dilemme gouverne aussi bien la réflexion sur l'art que la pratique elle-même. L'Antiquité offre l'exemple d'autres possibilités que celles du binôme idéalisation-similitude. L'évolution du réalisme hérité des Grecs en est un exemple.

Les portraits peints recouvrant les visages des momies découvertes au Fayoum peuvent à cet égard nourrir la réflexion. L'influence grecque se manifeste par la présence d'inscriptions sur l'image même. La matière, la posture, le réalisme des couleurs dû à l'utilisation de la technique de l'encaustique, tout est mis en œuvre pour garantir, avec le réel, une ressemblance à la conformité devenue invérifiable. Le nombre de portraits découverts, leur variété à l'intérieur d'un même style, laissent penser qu'ils sont bien réalisés d'après des modèles, vivants ou morts, et sont ressemblants. Inférer à leur propos quoi que ce soit de l'art d'Appelle, ou des portraits réalistes évoqués à propos de Zeuxis, serait hasardeux. Ils contiennent en germe une future évolution. Le portrait profane léguera son style à l'icône byzantine. Le rapport à un référent tangible se transférera à un référent invisible.

Les siècles classiques et rationalistes n'auraient pu choisir cette voie, il ne s'agit plus de choix entre l'apparence et l'âme, mais entre l'apparence et la vie intérieure individuelle.

Cette question de la nature et de la pratique du portrait ne cesse de préoccuper, de Vasari à Roger de Piles, de Diderot et Baudelaire à nos jours.

«La théorie du portrait est partout», constate Édouard Pommier[9]. Il cite, entre autres exemples, la définition de Furetière : «Représentation faite d'une personne telle qu'elle est au naturel» et qui est plus communément «l'ouvrage d'un peintre». À la sculpture privilégiée par Platon est préféré l'art illusionniste de la peinture et toutes les interprétations, déformations et anamorphoses qu'il permet. Une définition de dictionnaire émane d'une doxa bien établie.

La valeur mémoriale et la valeur plastique font l'objet d'évaluations diverses, de réajustements. Si la question de la ressemblance à un sujet ou à un idéal du sujet, dans l'intention de fixer ses vertus, n'est jamais véritablement remise en cause, la discussion sur l'aspect qui doit prévaloir s'avère âpre.

Il s'agit de la représentation d'un sujet distinct, même si son identité s'est perdue. Un *Portrait de jeune homme* était sans nul doute le portrait d'un certain jeune homme. Sa ressemblance n'est plus attestable par la présence d'un nom, mais il ressemble encore à ce jeune homme-là. La ressemblance et la valeur plastique ne sont pas entamées par la chute de son identité dans l'oubli.

La polémique portant sur la nature de l'imitation nourrit la réflexion : «La différence entre imitation et reproduction sera que l'un fera les choses parfaites comme il les voit, et l'autre les fera parfaites comme elles doivent être vues[10]. »

Cette hiérarchie entre imitation et reproduction énonce les critères d'un art supérieur, auquel ne saurait atteindre une forme de portrait établi par contact direct, indiciaire. L'effigie moulée directement sur le corps offre toutes les garanties de la reproduction exacte. Portrait incontestable, son apparition et sa persistance naissent d'un désir de réalisme, d'un souci de documenter l'histoire. Pourtant son poids de réel crée un malaise, l'absence de médiation, loin d'évoquer et de faire revivre le modèle, le réifie et le transforme en échantillon ana-tomique. Il manque cet entre-deux suscité par le recours à la reconstruction.

La reproduction à l'identique du visage humain se révèle une impasse. L'empreinte touche de trop près à la mort. Si les effigies de cire, les *imago*, faisaient partie intégrante de la culture antique, elles étaient d'abord destinées à des rituels funéraires, pourvues d'un pouvoir occulte, et d'un statut utilitaire et provisoire de véhicules de ce pouvoir. La conception janséniste du portrait mortuaire, impliquant le respect de l'intégrité et de la vérité du visage humain, qui attestent la vérité et la volonté divine, ne vient pas contredire ce statut. Cette image, chargée d'une mission probatoire, n'est destinée qu'à marquer la place de ce qui a été, comme cela a été. À l'instar de l'*imago*, elle a une fonction et, pour cette raison, ne se constitue pas en œuvre.

La société entraîne l'art du portrait dans ses progrès, régressions ou vicissitudes ; un public de plus en plus vaste est saisi du désir de représentation. Les théoriciens du XVIIIe siècle ne tarissent pas de sarcasmes envers un art appauvri par la production en série, envers le spectacle «d'une société qui [...] ne songe qu'à laisser d'elle une image flatteuse et mensongère [...]. Même s'il en souffre au début, le peintre de portraits acceptera, par intérêt matériel, de flatter un visage minaudier, souvent difforme ou suranné, presque toujours sans physionomie, de multiplier les êtres obscurs, sans caractère, sans nom, sans place et sans mérite, souvent méprisés, quelquefois même odieux, ou tout au moins indifférents au public, à leur postérité, à leurs héritiers même[11] [...] »

L'art du portrait bourgeois, devenu commerce massif, fait glisser la représentation vers l'ostentation. Il ne s'agit plus d'évolution mais de déliquescence.

Au sein de cette décadence, le dispositif du «portrait à la silhouette» renoue avec le mythe des origines ; sa technique repose sur le cerne de l'ombre portée. Sa nature indicielle garantit la similitude, sa légèreté permet la production massive. Au-delà du phénomène de mode, c'est un outil commode pour satisfaire le délire anthropométrique qui saisit les contemporains des Lumières. Johann-Kaspar Lavater, adepte de la physiognomonie, voit dans cette nature indicielle un moyen de probation scientifique. «L'image la plus vraie et la plus fidèle que l'on puisse donner d'un homme [...]. La physiognomonie n'a pas de preuve plus sûre et plus irréfutable de sa vérité objective que les silhouettes[12].» Lavater, dont le réel propos se révèle être une gestion scientifique de l'homme et de la société, applique naïvement les paramètres d'une table de vérité.

Bouleversement capital, l'invention et la diffusion de la photographie fournissent l'instrument propice à la réalisation du portrait réaliste. «Cela fait-il le portrait?» demandait-on à Daguerre.

Le flux photonique imprimant d'un seul coup l'image du sujet sur la surface sensible, la question de la similitude paraît résolue. La peinture n'est pas quitte du problème de l'idéalisation et de la ressemblance, mais elle en est, du moins, soulagée; le changement de frontière permet l'évolution des styles. La similitude ne saurait cependant se superposer exactement à la ressemblance. C'est une des vérités qu'expose le portrait moderne.

Cette garantie de similitude intrinsèque au médium lui vaudra une expansion rapide. Les foudres esthétiques de Baudelaire, profondément méfiant envers les vertus du daguerréotype, sa faculté de fascination sur «la vile multitude», et envers son excédent de réel qui barre la route à l'imaginaire, n'entravèrent en rien la progression du portrait photographique. Il serait abusif d'insinuer qu'il avait imaginé l'usage qu'en ferait Alphonse Bertillon. Sa position de principe aurait trouvé là une justification morale, sinon esthétique, ses raisons tenaient plutôt à l'assimilation du fonctionnement mécanique du procédé à une forme d'obscénité

Bertillon, qui avait eu quelques prédécesseurs en Grande-Bretagne, modernisa les procédures d'identification de la préfecture de police de Paris en unissant les moyens photographiques, anthropométriques et sociologiques.

Gilles Deleuze a fait observer que notre siècle passait inéluctablement de l'ère de la discipline à celle du contrôle. Cette dynamique trouve son origine et son moteur à cette période-là, dans la synergie de la photographie, de l'anthropométrie et de la surveillance.

Les procédures de photographie et de portrait «parlé» sont normalisées, l'une selon un dispositif précis et invariable de prise de vue, l'autre selon un vocabulaire descriptif et chromatique hiérarchisé comme un langage documentaire.

La méthode photographique comporte une prise de vue de face, une autre de profil, donnant lieu à l'établissement d'une fiche signalétique.

«Chambre noire, siège de pose, éclairage... Il s'agit là des éléments habituels des ateliers de portraits tels qu'ils existent depuis les daguerréotypistes. Mais chacun d'eux a été repensé de manière à éliminer de la prise de vue tout facteur de variabilité. Comme Bertillon l'écrira plus tard : "Le dispositif adopté impose l'uniformité et la précision par l'impossibilité matérielle où se trouve l'opérateur de reproduire autre chose que notre *type*"[13].»

Les criminels et les pensionnaires des asiles d'aliénés avaient servi de cobayes photographiques bien avant Bertillon, mais, sans outils de normalisation, il était impossible d'aboutir à l'élaboration d'une typologie. Le dispositif face-profil fut utilisé dans la pratique du portrait ethnologique, qui manifestait le même besoin de méthodes classificatoires.

Christian Phéline fait observer que le portrait judiciaire «participe d'un mouvement historique beaucoup plus général : celui par lequel l'image photographique contribue à la constitution même de cette identité comme identité sociale et participe ainsi de l'émergence de l'individu au sens moderne du terme ». Portrait carte-de-visite et daguerréotype d'une part, portrait anthropométrique de l'autre, le troisième volet fut le portrait « composite ». Le modèle idéal proposé par Hegel s'inverse en caricature sinistre.

Son invention découle d'une aspiration semblable à celle de Lavater, nourrie par la fascination de la science : la compréhension totale de l'être humain. Le procédé physiognomonique de Lavater était analytique comme celui de Lombroso, qui classait les photographies en atlas décrivant les occurrences d'un type humain. Celui de Francis Galton est synthétique. Il consiste à établir, à partir d'une collection de portraits individuels, un portrait générique, image de synthèse à la fois artificielle et tout à fait réelle.

Selon une formule d'Arthur Battut, vulgarisateur français du procédé, tous les traits singuliers se dissolvent dans « cette figure impersonnelle qui n'existe nulle part et que l'on pourrait appeler "portrait de l'invisible" [14] ».

Cette technique opère un retournement. Le portrait quitte la reproduction du réel, la similitude, le sujet se conformera au type, qui recevra une marque ethnologique ou sociologique. (Remarquons au passage une sorte d'aporie : les échantillons de travail sont déjà censés représenter le type recherché à l'arrivée, par conséquent le résultat recherché détermine l'échantillonnage)

Ce résultat n'est guère éloigné de l'édification d'un schème transcendantal appliqué au portrait. L'image quelle qu'elle soit conserve toujours une figure particulière, un statut de signe ; le schème vise l'unité de la règle générale, à laquelle renvoie le vecteur de l'image. Le portrait composite et l'icône religieuse sont alors comparables dans ce recours à un référent immatériel médiatisé par une image achéiropoïète. Si l'image religieuse comportait un garde-fou, le « regard détourné », la *translatio*, adressé lucidement à son référent invisible, le portrait composite, lui, n'est que l'instrument d'une idéologie.

Les portraits composites réalisés dans un but ethnologique par Arthur Battut (qui prit assez vite conscience des dérives dangereuses de cette sorte d'expérimentation appliquée à l'humain) pourraient figurer près des recherches plastiques contemporaines de représentation virtuelle du visage.

Le portrait photographique franchit une étape décisive de son évolution. La catégorie de portrait instituée et généralisée à l'instigation d'Alphonse Bertillon dans le cadre d'une prise en charge scientifique et positiviste de l'humanité figure encore de nos jours sur les cartes d'identité et les passeports. Mais Bertillon a, en quelque sorte, « raté son coup ». Il n'existe pas de type de l'assassin ou de type de l'escroc. Loin de mener à l'élaboration de schèmes, étrangement proches des Universaux au sens scolastique, cette approche photographique aboutit à un recensement du particulier, une collection d'individus. Les travaux photographiques les plus actuels trouvent là une archéologie.

Ce visage centré sur lui-même, séparé de son corps, lessivé de tout contexte, libéré de tout ancrage, dépersonnalisé, est celui de l'individu extrait de la personne, qui cheminait depuis Jean-Jacques Rousseau. Seul sur la terre.

Bien d'autres singularités émergent sur cette courbe de la pratique du portrait photographique du XIXᵉ siècle. Des partis très volontaires, comme le portrait de dos ou le portrait *post mortem* ; mais aussi des pratiques amusantes (photomontages monstrueux, superposition des prises de vue de la photo spirite), des pratiques expérimentales (fragmentations), des accidents (captation de l'auteur dans un miroir, présence de l'ombre portée, surexposition, flou)… Résultats acceptés et conservés par les auteurs en tant qu'amusements ou curiosités. Ce qui pouvait se concevoir comme accident, comme anecdote, a été lucidement investi d'une valeur plastique par les photographes modernes. Fragmentations et distorsions d'André Kertész, visage stigmatisé du modèle féminin de Florence Henri, modèle occulté par un écran de dentelle chez Edward Steichen, graffiti anthropomorphe de Brassaï, reflet dans un miroir endommagé de Raoul Ubac... Ces thèmes présents dès les origines de la photographie n'ont cessé depuis d'être retravaillés, et retravaillés aussi dans le format mis au point par Bertillon.

L'ensemble de photographie moderne et contemporaine, nous l'avons dit, s'est constitué autour du thème du visage. Le portrait en couleur n'y figure pas, non par un présupposé déficit de valeur plastique, mais parce que la question des données chromatiques est de l'ordre du langage et fait appel à un appareil heuristique spécifique.

« Est-ce que je vois effectivement blonds sur la photographie les cheveux du jeune garçon ? ! – Est-ce que je les vois gris ? Est-ce que je *conclus* seulement que ce qui sur la photographie apparaît de *telle façon* doit en réalité être blond ? En *un* sens je les vois blonds, en un autre gris plus clair ou plus sombre [15]. »

L'ambiguïté d'interprétation du noir et blanc n'est pas levée par le recours à la couleur, Edward Weston le faisait observer. C'est un autre champ de réflexion qui se présente.

« Il pourrait y avoir des hommes qui ne comprendraient pas notre façon de nous exprimer quand nous disons que l'orange est un jaune tirant sur le rouge, et qui ne seraient enclins à dire quelque chose de ce genre que là où ils verraient de leurs yeux un processus de transition du jaune au vert en passant par l'orange. Et pour de tels êtres un vert tirant sur le rouge ne présenterait aucune difficulté [16]. »

Le portrait magnifiant n'a pas disparu, le portrait social, le portrait ethnologique vivent puissamment. Parallèlement à ces pratiques, d'autres photographes construisent leur recherche sur l'inquiétude ontologique. Le portrait fatigue le visage, mène la photographie aux limites de la représentation. Elle ne nous apprend rien en dehors du domaine qui est le sien, celui des formes dont nous devons entendre le strict discours. Il n'est ni éthique, ni sociologique. La photographie ne substitue pas une posture morale à une donnée esthétique, mais sa valeur indiciaire, jamais probatoire, procure d'utiles éléments à une perception moderne sur la représentation de l'individu.

S'il s'agit ici de « visages », la notion classique du portrait ne s'est pas pour autant évaporée. La perception du visage de l'autre, la projection de visages fantasmatiques, l'impossible contact avec son propre visage, ces thèmes fondamentaux de l'art du portrait vivent dans l'étrange présentation de la photographie. Le regard des modèles, évanescent ou tendu, vibre de l'inquiétude et de la tension d'un affrontement à venir, qui n'advient jamais car ces regards sont aveugles ou ces visages sont morts. L'affleurement de la forme anthropomorphe, les merveilles et les monstres optiques fruits habituels de l'imagination sont ici réellement perçus comme phénomènes et non comme fantasmes par cet œil des Grées [17] qu'est l'objectif photographique. La photographie n'est pas un outil de sublimation, l'impossible perception de leur propre visage mène les photographes aux limites de la représentation. Mais la fragmentation, la disparition, la destruction constituent une réalité représentable, photographiable.

Les visages se font écho, selon l'arbitraire du cadrage le plus serré, de la disparition du décoratif et de l'anecdotique. À la manière de Bertillon.

La photographie autour de laquelle l'exposition « Portraits / Visages » a pris corps a été présentée pour la première fois dans le numéro spécial (XLIX-L, juin 1917) de la revue d'Alfred Stieglitz, *Camera Work*, livraison consacrée à Paul Strand, partisan radical de la *Straight photography*. Le portfolio présente à la fois portraits directs et photographies d'objets quotidiens. Cette volonté de rapprocher les objets banals et le portrait signe la volonté d'en finir avec la tendance abusive à l'idéalisation fuligineuse propre au pictorialisme, de rendre le médium à lui-même, de le réinvestir de ses possibilités propres. *Blind woman* n'est pas véritablement une photographie dérobée, sa construction rigoureuse le démontre. Tout s'organise autour d'un œil fixé non sur le regardeur, l'objectif, mais tourné vers l'arrière, planté dans le mur qui barre le fond. L'œil des Grées, encore une fois… Solipsiste, tautologique, l'image se referme sur elle-même, inscrit dans la composition le texte de la légende, le numéro d'identité du modèle. Paul Strand subvertit une pratique habituelle du portrait classique, où identité référentielle et identité picturale se faisaient écho. *Blind* : il s'agit d'un constat et d'une question. Celui de la représentation du visage, impuissant à se voir lui-même autrement que par une médiation. Celle du statut du spectateur qui voit et ne peut être vu, question qu'aborde d'autre manière l'*Autoportrait au miroir* de Dieter Appelt.

À cette disposition frontale du modèle, à cette organisation autour d'un regard s'apparentent les œuvres de Bernard Poinssot. Nous avons souhaité restituer à ce grand portraitiste toute son importance, mais également rendre tangible ce que sa conception a d'extrême et de presque irréalisable. Sa disparition prématurée n'a pas permis à son œuvre d'atteindre un grand public, mais sa manière d'aborder la question du portrait trouverait encore un écho dans les travaux de photographes plus contemporains.

« Je crois que la photographie est le meilleur moyen pour représenter le visage dans cet instant fugitif où il apparaît en quelque sorte transparent et laisse voir l'âme à nu. Lorsqu'il devient significatif de l'être entier, le visage s'offre tout d'un bloc pour un instant souvent bref [...]. Seul le photographe reproduira cet instant avec toute son importance et non le souvenir amoindri comme le ferait un peintre. Mais si je parle de fixer un instant fugitif, ce n'est pas pour un photographe de photographier ce qui n'est qu'accidentel. Lorsque le visage reflète une pensée, un sentiment ou une sensation, il me semble qu'il exprime moins la personnalité qu'un état passager dans lequel n'importe qui pourrait se trouver. Je souhaite qu'aucune émotion particulière ne vienne le troubler, qu'il soit vraiment au repos et que le modèle ne soit plus en relation avec ce qui l'entoure mais rentre en lui-même. Je voudrais qu'il laisse tomber le masque par lequel il se défend contre l'indiscrétion d'autrui. Le moment où il oublie de jouer un personnage n'est jamais long [18]. »

L'aveugle de Paul Strand montre encore de discrets signes d'un ancrage social et temporel, l'extinction du personnage mondain est évidente dans les portraits de Poinssot. Le peu que l'on aperçoit du cou ou du costume ne situe les modèles dans aucun contexte. Seul le type de tirage, glacé et brillant comme on le préférait vers 1950, peut donner une idée de la date de réalisation de l'épreuve. L'objectif affronte un regard allant vers l'en-dedans de soi. Le visage est présenté dans sa nudité, offert, ouvert, frontal. Il n'est question ni de trouble, ni de tension, seulement d'une énigmatique présence. L'Autre. Il n'enseigne ni ne renseigne, il est visage.

Les photographies rassemblées autour des œuvres de Bernard Poinssot respectent ce même protocole : cadrage serré, regard direct ou légèrement décentré vers le hors-cadre. La série des *Apôtres* de Jean-Paul Dumas-Grillet a été réalisée dans une tension de groupe voulue par lui, chacun des douze, bien qu'individuellement photographié, était responsable du visage du groupe entier. Les regards d'adolescents de Philippe Pache, ou d'enfants de Gabriel Cuallado et Noël Blin, résistent à cet effondrement vers l'intérieur de soi. Ils n'ont pas encore développé un personnage, pas eu le temps de se forger le masque requis par le jeu social. Cette présence ne leur est pas demandée, ils l'offrent spontanément.

Inclure dans cette série le travesti de Diane Arbus, modèle situé clairement dans le contexte social, spatial et temporel de la marginalité, n'allait pas de soi, mais il participe de la même manifestation de l'en-dedans de l'être. Le trouble de l'identité, l'inquiétude, laissent «voir l'âme à nu» comme le souhaitait Poinssot. Le contexte se dilue au profit du visage, puis du regard à la fois fixe et absent du monde. «Tout le monde a ce désir de donner de soi une certaine image, mais c'en est une tout autre qui apparaît.» (Diane Arbus.)

La représentation, lorsqu'elle n'est pas orientée vers la production scientifique d'une signalétique ou d'une typologie, recentre le portrait sur l'émergence de l'être, l'apparition du visage, et non du «faciès».

«[...] Vivant il touche la mort en dormant. Éveillé il touche le dormant [19].»

La pratique du portrait *post mortem*, encore très courante au XIXᵉ siècle pour des raisons domestiques et utilitaires, a sa place dans cette thématique du visage. Les crânes surmodelés de Jéricho, sans doute liés à des pratiques rituelles, étaient à leur manière des *post mortem*, pourvus de visages individualisés. La photographie de la *Vierge inconnue du canal de l'Ourcq*, d'Albert Rudomine, n'était pas destinée à de telles pratiques. Elle renoue cependant avec ce type de relation à l'image des morts, en représentant ce prétendu masque mortuaire élevé au statut de figure votive par les surréalistes [20].

Le masque mortuaire pose la question de l'empreinte, de la trace, de l'indice, éléments marqueurs de la photographie. Que peut-il manifester et rendre connaissable au sujet de la mort?

Martin Heidegger, sur le problème de la transposition sensible des concepts, examine la nature de l'image comme «ceci» susceptible d'être immédiatement connu sans recourir au raisonnement. «Mais en même temps qu'elle se manifeste elle-même, elle rend manifeste ce qu'elle reproduit

[...] se procurer une image n'équivaut pas à se donner seulement l'intuition immédiate d'un étant mais, par exemple, à en prendre une photographie [...]. On peut d'une telle reproduction tirer une reproduction nouvelle, comme lorsqu'on photographie un masque mortuaire [...]. Mais la photographie est aussi capable de montrer comment apparaît, en général, un masque mortuaire. Le masque mortuaire peut manifester, à son tour, comment apparaît en général la face d'un cadavre. Or c'est ce que manifeste aussi un cadavre individuel. Le masque mortuaire peut montrer l'aspect d'un masque mortuaire en général, tout comme la photographie peut manifester non seulement l'objet photographié, mais encore ce qu'est une photographie en général [...]. Mais que manifestent précisément les vues [...] de ce mort, de ce masque, de cette photographie? Quel aspect (*eidos, idea*) nous livrent-elles? Elles manifestent comment une chose apparaît "en général", selon l'élément qui en elles est valable pour plusieurs [21].»

Le concept ne peut être lui-même mis en image.

La photographie de ce masque singulier, celle de l'enfant embaumée (Gilles Ehrmann), ces visages aux yeux clos, ces dormeuses (Yves Trémorin, Olivier Christinat), ne donnent pas accès à l'Idée de Mort ou de Sommeil, mais à un mode de leur représentation: la disparition du regard, l'immobilité pétrifiée. La photographie manifeste des étants, se manifestant elle-même seulement comme photographie.

L'opacité de l'ombre reposant sur le visage endormi d'Isabelle Rozenbaum (comme le *Voile* sombre enrobe celui du modèle féminin de Jean-Claude Bélégou ou les autoportraits de la série *Troublée en vérité* de Florence Chevallier) pèse sur ses traits qui émergent à peine de la matière de la photographie. L'ombre voile, le voile trouble. «Le voile réfléchit la lumière», dit Wittgenstein. En effet. Le sujet englué dans le sommeil, séparé du *cogito*, en deçà du *dubito*, sans la lumière de la raison, peut-il avoir conscience de soi?

C'est aux confins du sommeil et de la mort, dans leur proximité, que repose l'autoportrait de Xavier Zimmerman, masque devenu, au fil de la série, tellement rongé et immatériel qu'il disparaît dans l'épaisseur uniformément noire du sel d'argent. Ce noir ne fonctionne pas comme une transposition ou une métaphore, mais comme un équivalent tactile de l'épaisseur et de la profondeur supposées du néant.

Exposer l'effigie des disparus pour en faire mémoire est une pratique presque universelle. Ici, il s'agit de photographies rephotographiées, et de visages anonymes. Images doublement achéiropoïètes, traces photoniques ayant eu contact avec le modèle, ces images concrétisent discrètement la métaphore de la disparition, de la dilution, du retour à la poussière. Elles manifestent le processus de leur destruction, le devenir rien de leur modèle. « Il n'en reste rien sous le soleil. » (Ecclésiaste, 2, 11.) Le principe des trois états du corps qui avait connu une grande fortune iconographique à la fin du Moyen Âge n'est pas exposé diachroniquement, selon le principe des trois gisants, mais montré comme œuvre en cours : la mort travaillant à la fois sur le modèle et son image. C'est ainsi que *La Belle Disparue* de Xavier Zimbardo se dilue à la fois sous la terre, dans l'érosion du granit et la disparition du grain de la photographie.

Les œuvres du photographe anonyme du Guanajuato participent d'une double nature : identité, effigie. Ce sont des photographies banales, ordinaires, « sans qualités », que les proches des disparus de la Révolution confiaient au studio photographique. Reproduites et agrandies, elles servaient de matrice aux gravures sur bois destinées au culte des morts. Le statut d'empreinte de la photographie y est redoublé.

D'un univers apparemment inanimé où le créant et le créé seraient encore indifférenciés, des objets, des minéraux émergent des « figures » anthropomorphes. Au repos dans la nature, une puissance spirituelle inconnaissable bouleverse l'ordre du monde. Entre créé et incréé, visible et invisible, circule un flux que la photographie institue en présence réelle, représentation fulgurante du modèle idéal, de l'Image séminale de toutes les créations particulières. Sont-ils créés ailleurs que dans la photographie, ces êtres glissant d'une expression à l'autre, affleurant à la surface des roches chez Ja Won Paek, ou d'un bidon de métal rouillé chez Clarence John Laughlin ? C'est ce monde hanté par la forme éternelle et indestructible, par le prototype du visage, que tentaient déjà de saisir les gravures illustrant les ouvrages de minéralogie de Dézallier d'Argenville ou les traités géographiques d'Athanasius Kircher. Un monde habité par un fantasme démiurgique.

Support de méditation et de création pour Léonard de Vinci : « Si tu regardes des murs souillés de taches ou faits de pierre de toutes espèces, pour imaginer quelque scène [...] tu pourras y voir aussi [...] d'étranges visages et costumes, et une infinité de choses que tu pourras ramener à une forme nette et complète[22]. »

Les poupées photographiées par Rosalind Solomon laissent paraître d'emblée la nature anthropomorphe qui est leur raison d'être. Ne sont-elles pas les multiples d'un stéréotype humain ? C'est, non pas cet inquiétant statut de fac-similé, mais la charge d'histoire et d'usure qu'elles portent qui leur assigne un visage, au moment où la déréliction et la mort les atteignent : échange entre le vivant de l'érosion et l'inerte de l'ustensile, changement du simulacre de vivant en doublement inerte. Les photographier transforme leur similitude en ressemblance. « Quand je photographie un objet, disait Garry Winogrand, c'est pour voir à quoi il ressemble quand il est photographié. »

« Sous le regard de la mélancolie, l'objet devient allégorie : comme si la vie s'écoulait hors de lui, et qu'il demeurât là, mort et cependant préservé pour la vie éternelle ; c'est ainsi qu'il se présente à l'allégoriqueur, qu'il est livré à sa merci. »

[…] L'objet se métamorphose dans sa main, à travers lui, il parle d'autre chose, il voit la clé d'un savoir inconnu dont il révère l'emblème[23]. »

S'agit-il d'affleurement de la nature naturante, d'allégorie…

L'effigie religieuse au regard fulgurant saisi par Vilem Kriz ne manifeste pas son mode d'être de la même manière. Elle appartient au monde des images saintes, se réfère à un modèle et non à un stéréotype. Elle participe des allégories religieuses de la souffrance, de la mort, de la révélation.

Comment donner à voir une transformation, comment saisir la mobilité de la forme ? Connie Imboden trouve sa ressource dans les propriétés optiques de l'eau, où les formes semblent malléables et sujettes à des mutations infinies et imprévisibles. Les apparences se font et se défont, les visages immergés se déforment, se dédoublent, se réduisent à des bouches sans contexte ou des profils déstructurés, des excroissances végétales poussent hors de la chair. Le passage de la forme à l'informe, le va et vient d'une apparence à une autre, sont saisis dans le temps de la photographie. Le visage objet de cette métamorphose pourra retrouver son apparence anodine, il n'en aura pas moins été objectivement et sans trucage ce monstre, cette manifestation visible. La photographie ne signifie rien du rapport à l'Idée, elle expose le phénomène.

Les visages d'écorce et de végétaux, nés de superpositions de négatifs, c'est-à-dire d'empreintes, d'où le regard de Sonia Bossan épie le spectateur, opèrent un retour aux plus classiques des thèmes mythologiques, en même temps qu'ils réutilisent les trucages « spirites » des photographes amateurs du XIXᵉ siècle. Les Héliades se transforment en arbres, l'écorce les recouvre progressivement. Dans ce mouvement, la forme humaine n'émerge pas de l'informe, mais se fond dans le végétal qui dès lors pourra emprunter un visage témoignant de ce qu'il porte aussi un esprit, qu'une énergie et une pensée sont à l'œuvre à la fois dans l'apparente indifférence de la Nature et dans la manipulation volontaire opérée sur les négatifs.

Au-delà des thèmes évidents de la découverte de soi par l'image spéculaire, de Narcisse, du double, l'*Autoportrait au miroir* de Dieter Appelt met en scène le mécanisme de la perception et la nature optique de la photographie. La théorie de la palpation par le regard chez les Anciens s'appuyait sur l'hypothèse de l'émission par l'œil d'un cône de rayons affectés par la couleur et à la lumière, les « sensibles propres de la vue ». Le flux visuel participait de la nature de l'Esprit, du *pneuma*. Le regard capable de palper les objets les atteignait bien au-delà des limites physiques du corps. Tout le dispositif mis en œuvre par Dieter Appelt illustre non seulement l'imprégnation des instances percevantes par l'objet perçu, mais aussi la formation de l'image rétinienne et de l'image mentale. L'interposition de son corps entre l'objectif photographique tenant la place du voyant et l'image produite (la sienne dans le miroir) nous rappelle que l'essence n'est pas assimilable à la représentation. Un véritable battement se produit entre la réalité et l'imitation, la valeur visuelle et la valeur tactile. Le *pneuma*, vapeur sortie de la bouche et couvrant le miroir, pourrait entrer dans la symbolique de l'effacement. Il paraît au contraire tentative de contact du sujet avec lui-même, perception rendue possible de l'en-dehors de soi par ce souffle venu de l'en-dedans. Mais c'est le reflet qui est touché, non le sujet. La double médiation, du miroir qui reflète et du négatif qui s'imprègne, mène l'empreinte photographique à ne fixer que le reflet d'une apparence. Le réel visage, celui qui se reflète, n'est pas atteint… Le visage n'aurait pas été « reconnu » ? L'image spéculaire présente toujours un aspect inversé de nous-même. La vision du visage photographié ne nous donne pas l'apparence, la ressemblance qui nous ressemble. Elle crée un suspens, creuse une distance, engendre l'étrangeté.

Le protocole mis au point par Alphonse Bertillon comportait non seulement un descriptif complet du visage face-profil, mais également une découpe des détails organisée selon une logique anatomique et visuelle où certains fragments prenaient une valeur canonique, voire fétichiste, d'identification. Étrange métonymie, les contours et les plis du pavillon auditif représentaient la quintessence de l'individu, qui jusque dans ses fragments les plus minces était susceptible d'être (re)marqué.

La photographie prend en compte cette opération et la retourne en question esthétique et ontologique. Si la photographie reste bien, tout du long, une photographie, si sa valeur indiciaire demeure inentamée, jusqu'à quel point le modèle pourra-t-il être fragmenté ? Quelle sorte de fragmentation sera-t-il possible d'accomplir ? Les travaux, aussi bien de Jean-Claude Bélégou et Yves Trémorin que de Rossella Bellusci ou Maria Theresia Litschauer, tout en découpes apparemment aléatoires, non significatives, ne posent plus la question du visage, mais celle des traits, des marques, des rides. Matière, ombre, lumière : traces. Il n'est plus reconnaissable, ce visage, pourtant il n'a jamais été atteint d'aussi près que dans cette proximité illisible. Il présente une totalité, en quelques centimètres carrés agrandis à la dimension d'un paysage. « C'est une carte géologique en relief. Et malgré tout, ce monde lunaire m'est familier. Je ne peux pas dire que j'en *reconnaisse* les détails, mais l'ensemble me fait une impression de déjà vu[24]. » Non seulement il n'est plus identifiable, ne produit qu'une impression, mais la forme a disparu dans le grain du papier et la trace des sels d'argent.

Dans la série *Stigmates*, Marianne Grimont tente autrement l'accès à la similitude. La matière cosmétique dont elle enduit son visage et qu'elle dépose et photographie ensuite se constitue à la fois en écorchement et en *« vera eikon »*, véritable image, issue du même principe que le Mandylion d'Édesse ou le voile de Véronique, empreintes achéiropoïètes du visage du Christ. Empreintes non réalisées de main humaine, et non fixation médiate de l'apparence. Le dispositif de départ n'est pas optique, mais concrètement tactile. L'idéalisation du modèle, la distance, sont évacuées : cette véritable image, l'icône exemplaire, est une surface incertaine, grumeleuse, homothétique d'une face rendue méconnaissable par son absolue exactitude, une fois la troisième dimension disparue. Perception de soi-même encore une fois impossible dans la proximité. Le visage disparaît, pire, se décompose, à être vu de si près. « Je n'y comprends rien à ce visage. Ceux des autres ont un sens. Pas le mien[25]. »

Les œuvres d'Arnulf Rainer ou de Henry Lewis rendent tangible la violence de la représentation. La biffure, le pigment recouvrent le visage, non pas méconnaissable, mais inconnaissable. Chez Rainer, la surface de la photographie se substitue à la peau pour recevoir tous les outrages de l'iconoclasme. L'image, autoportrait ou photographie du masque mortuaire d'un personnage historique, est sabrée de violentes ratures, recouverte de pigments, qui ne laissent plus entrevoir que quelques fragments du visage sous-jacent, flottant entre surface et profondeur. Le portrait ne se situe plus dans la représentation, mais dans la trace, l'indice d'une action violente. L'outrage est double, fait planer un doute sur la photographie elle-même, sur la valeur de représentation de l'image qui, semblable à l'original, s'identifie à lui. Cette adéquation au modèle a pour évidente conséquence que l'atteinte à l'image, loin de se borner à un aspect symbolique, se veut réelle et concrète atteinte au modèle, ainsi qu'en témoignent les manifestations d'hostilité aux effigies religieuses et politiques.

Henry Lewis ne s'attaque nullement à l'image. Son rôle est de témoigner (non de prouver quoi que ce soit, il faut le préciser), comme elle témoignait des œuvres des actionnistes (le propos est loin d'être le même).

La photographie de par sa valeur d'indice n'a pas, contrairement à la peinture, vocation à ressembler. La similitude y est massive, irrémédiable (ceci ne signifie pas qu'il s'agisse d'une photocopie de la réalité…). Le passage par la reconstruction ne peut s'y produire. Henry Lewis le produit en amont, avant la prise de vue, torturant son visage afin de voir à quoi il peut ressembler. Le visage qui sort de la cabine du photomaton n'est jamais le nôtre.

Les affiches lacérées, la toile déchirée, photographiées par William Klein et Vilem Kriz mettent en évidence la nécessaire relation des composants pour garantir une forme. Photographier l'usure, la destruction, par un acte créateur lucidement revendiqué procède d'un mouvement tout à fait contraire de l'iconoclasme : le constat visuel d'une fatigue et d'un évanouissement de la ressemblance.

Entre trouble et netteté, ombre et lumière, toute la gamme des inquiétudes de la représentation, tout le vocabulaire de la photographie. À l'extrême limite du visible, c'est le portrait de la photographie que Caroline Feyt réalise dans ses *Portraits de lumière*.

Georges Didi-Huberman écrit à propos de Philotée le Sinaïtique, higoumène du monastère du Buisson ardent, l'homme qui inventa le mot photographier : « Imaginant devenir image à se soumettre à la lumière [...]. L'homme qui inventa le verbe photographier désirait donc se transformer lui-même en une image, une image diaphane [...]. C'est là en moi, pensa-t-il, que le Dieu lumineusement s'empreint, *phôteinographeistai*, se photographie. C'est là en même temps que je le vois [...]. Gravé jusqu'au tréfonds par le sceau de la lumière, il devenait cette lumière [...] le verbe photographier était venu là sous sa langue, comme l'exigence non pas d'un plaisir des images et des formes de la réalité, mais comme celle d'une jouissance infinie de l'image sans forme [26]. »

Le visage absent, seuls demeurent le flux photonique qui l'a effleuré et la valeur tactile du médium : le visage de la photographie se révèle dans une brûlure mystique.

La photographie entretient avec le réel une relation ontologique privilégiée. Sa nature indicielle, qui la différencie d'autres techniques, en est le signe. Le portrait photographique ne peut donc pas être abordé selon un modèle spécifiquement psychologique, sociologique ou éthique.

La photographie se situe dans le champ esthétique, pour peu qu'un regard esthétique s'y applique. Et l'affirmer comme appartenant d'abord à ce champ esthétique n'est pas un oukase abusif, du moins est-ce la leçon de Marcel Duchamp. L'image est muette et la photographie ne raconte rien, il suffit d'en trouver une dans la rue pour le comprendre. Une œuvre se ferme sur elle-même, n'existe qu'en tant que présence sur le même mode que les objets de nature, dépourvus de nom et de sens, et ne s'adresse à personne. « Pas plus qu'un poème ne s'adresse au lecteur, aucun tableau ne s'adresse au spectateur, et aucune symphonie ne s'adresse à l'auditoire [27]. »

Une œuvre ne tient aucun discours, sinon celui qu'elle tient aux autres œuvres, et qui ne se déploie pas dans le domaine du langage. Ce catalogue fait dialoguer et se répondre les photographies du XIXe et du XXe siècle, par-delà temps et espace. Ce dialogue des formes, nous pouvons le transmettre, le transcrire, l'interpréter. Il nous donne accès à la pensée spécifique d'un artiste particulier, nous présente un monde. Que les œuvres soient muettes ne signifie pas pour autant que nous devions, face à elles, garder le silence, ni que nous ne puissions en parler, mais, ne l'oublions pas, c'est alors nous qui parlons.

La question strictement posée par l'art du portrait et de l'autoportrait est celle de l'altérité, qui, fondant la distance, crée à la fois les conditions de la représentation et de la relation. Il n'est pas question de privilégier la représentation comme support d'une éthique, qui passe, elle, non par l'attitude de la contemplation mais par la relation à l'autre sous une forme active. «Par la façade, la chose qui garde son secret s'expose enfermée dans son essence monumentale et dans son mythe où elle luit comme une splendeur, mais ne se livre pas. Elle subjugue par sa grâce comme une magie, mais ne se révèle pas. Si le transcendant tranche sur la sensibilité, s'il est ouverture par excellence, si sa vision est la vision de l'ouverture elle-même de l'être – elle tranche sur la vision des formes et ne peut se dire ni en termes de contemplation, ni en termes de pratique. Elle est visage; sa révélation est parole [28]. »

La conception du visage énoncée par Emmanuel Levinas, en revanche, ne peut être l'instrument de la réflexion esthétique, seule adéquate dès qu'il est question des formes. Elle ne le revendique pas. Elle nous aide efficacement à dépasser la simple contemplation esthétique. Le visage est une forme, et par le moyen de la photographie ou de la peinture devient une valeur plastique, mais il n'est pas n'importe quelle forme. À partir de ce que nous montre l'art, il est peut-être possible de se poser la question de la déréliction de l'individu, image dans le tapis de cette exposition. Aucun visage sur les parois de Lascaux, plus de visage identifiable dans les photographies de Caroline Feyt ou de Marianne Grimont. *Nihilum* est peut-être le meilleur nom de Dieu, pensait Duns Scot, c'est probablement le meilleur nom de l'individu. Seul sur la terre.

Juin 2003

1 Maurice Blanchot, *L'Amitié*, Paris, Gallimard, 1985, p. 42.

2 « Me voici donc seul sur la terre, n'ayant plus de frère, de prochain, d'ami, de société que moi-même. » (Jean-Jacques Rousseau, « Première promenade », *Les Rêveries d'un promeneur solitaire*, dans *Œuvres complètes*, Paris, Gallimard, coll. « Bibliothèque de la Pléiade », t. I, p. 995.)

3 Georges Bataille, *Lascaux ou la naissance de l'art*, dans *Œuvres complètes*, Paris, Gallimard, t. X., p. 63-64.

4 John R. Bartlett, *Cities of the Biblical World. Jericho*, Guildford, Lutterworth Press, 1982, p. 3 ; Georges Didi-Huberman, « Le visage et la terre », *Artstudio*, n° 21, été 1991.

5 James D. Breckinridge, « Portraiture and the cult of the skulls », *Gazette des beaux-arts*, 6ᵉ série, 1964, n° 63, p. 278.

6 Michel Costantini, *Mimèsis / Poièsis du coloré, la couleur réfléchie*, Paris, L'Harmattan, 2000, p. 184.

7 Hegel, *Esthétique*, t. II, *Idée du Beau*, Paris, Aubier, 1964, p. 17.

8 *Ibid.*

9 Édouard Pommier, *Théories du portrait*, Paris, Gallimard, 1998, p. 13.

10 Danti cité par Édouard Pommier, *op. cit.*, p. 142.

11 *Ibid.*, p. 316.

12 *Ibid.*, p. 373.

13 Tous les renseignements concernant le portrait anthropométrique sont empruntés à l'ouvrage capital de Christian Phéline, « L'image accusatrice », *Les Cahiers de la photographie*, n° 17, 1985.

14 Christian Phéline, *op. cit.*, p. 65.

15 Ludwig Wittgenstein, *Remarques sur les couleurs*, Mauvezin, Trans-Europ-Repress, 1997, remarque 271, p. 65.

16 *Ibid.*, remarque 78, p. 20.

17 Sœurs aveugles des Gorgones, elles ne possédaient à elles trois qu'un seul œil et l'utilisaient à tour de rôle.

18 Texte extrait d'un article paru dans le n° 12 de *Focagraphie* (novembre 1953).

19 Héraclite, B XXVI, dans *Les Présocratiques*, Paris, Gallimard, coll. « Bibliothèque de la Pléiade », 1988, p. 152.

20 Voir sur ce sujet Hélène Pinet, *L'Eau, la femme, la mort. Le mythe de l'Inconnue de la Seine. Le dernier portrait*, catalogue d'exposition, Paris, RMN, 2002, p. 175-190.

21 Martin Heidegger, *Kant et le problème de la métaphysique*, Paris, Gallimard, coll. « Tel », 1998, p. 151-152.

22 André Chastel, *Léonard de Vinci par lui-même*, Paris, Seuil, 1952, p. 100.

23 Walter Benjamin, *Origine du drame baroque allemand*, Paris, Flammarion, 1985, p. 197.

24 Jean-Paul Sartre, *La Nausée*, Paris, Gallimard, coll. « Folio », p. 35.

25 *Ibid.*, p. 34.

26 Georges Didi-Huberman, *Phasmes, essais sur l'apparition*, Paris, Éd. de Minuit, 1998, p. 49-56.

27 Walter Benjamin, *Die Aufgabe des Übersetzers*, dans *Gesammelte Schriften*, t. IV, 1, Francfort-sur-le-Main, Suhrkamp, 1972, p. 9. Traduction restituée par Jacinto Lageira dans le n° 21 d'*Artstudio* (été 1991).

28 Emmanuel Levinas, *Totalité et infini*, Paris, Le livre de poche, 1987, p. 211.

Sauf mention contraire, toutes les œuvres présentées ici appartiennent au département des Estampes et de la Photographie de la Bibliothèque nationale de France.

Les notices 31 à 35 ont été rédigées par Clément Chéroux.

1

Victor Laisné ou Lainé (1830-1911)
Portrait de Jean-Dominique Ingres

1853
Tirage sur papier salé d'après négatif sur verre
au collodion
20,4 × 17,3 cm Ancienne collection Achille Devéria,
acquisition 1858
Eo 226 folio

Le critique d'art Théophile Silvestre commande
en 1853 aux peintres Victor Laisné et Émile
Defonds et au photographe Édouard Baldus les
portraits et les reproductions d'œuvres de Corot,
Delacroix, Chenavard, Daumier, Diaz, Ingres, etc.
destinés à illustrer l'*Histoire des artistes vivants
français et étrangers, études d'après nature,*
publiée d'abord avec les tirages originaux collés
puis dans une nouvelle édition en gravure d'après
photographies. Acquis par le lithographe Achille
Devéria, qui dirigeait alors le Cabinet des
estampes, ce portrait d'Ingres vaut par le
décalage entre les défauts techniques de la prise
de vue, le fond flou tourbillonnant et le clair-
obscur du visage du peintre, pris ici à contre-pied
de son propre idéal artistique.

2
Félix Tournachon, dit Nadar (1820-1910)
Marie Laurent, de dos
Vers 1856
Tirage sur papier salé d'après négatif sur verre
20 × 16,2 cm, ovale
Acquisition auprès de la petite-fille du photographe en 1949
Eo 15 petit folio Réserve

Le portrait de l'actrice Marie Laurent n'est pas le seul exemple de ce traitement paradoxal d'un portrait. Nadar fait subir le même à Mme Howland, et Olympe Aguado réalise une composition semblable à la même époque. Du flot de la production de Disdéri en format carte-de-visite, émergent aussi quelques portraits de dos en pied. Dans le jeu subtil des attitudes, dans les critères d'appréciation de la beauté féminine, de riches épaules, une belle ligne de cou, une nuque alourdie d'une épaisse chevelure retenue par un de ces peignes espagnols mis à la mode par l'impératrice Eugénie, parlent autant et plus que de jolis traits.

3
**Félix Tournachon, dit Nadar
(1820-1910)**
*Ferrouck Khan, ambassadeur
de Perse*

1857
Tirage sur papier salé d'après négatif
sur verre
24,5 × 17 cm
Acquisition auprès de la petite-fille
du photographe en 1949
Eo 15 petit folio Réserve

Les hauts dignitaires étrangers sont
des clients de choix des ateliers de
portraits parisiens. Nadar n'a guère
sacrifié à cette spécialité, sauf
à photographier, en 1861, toute la
délégation siamoise pour préparer
les études d'un tableau commandé
à son ami Gérôme. Les collections
de la BNF conservent de
nombreuses variantes de ce bien
plus rare portrait de Persan.

4
**Félix Tournachon, dit Nadar
(1820-1910)**
Portrait d'inconnu
Vers 1855-1860
Tirage sur papier salé d'après négatif
sur verre au collodion
24,5 × 18 cm
Acquisition auprès de la petite-fille
du photographe en 1949
Eo 15 petit folio Réserve

Cet homme en vêtements de travail
tachés diffère des modèles habituels
de Nadar. Une grande force se
dégage de la simplicité de la pose,
qui paraît préfigurer l'œuvre du
photographe allemand de l'entre-
deux-guerres August Sander. Peut-
être s'agit-il d'un des employés
de son atelier, aux manches raidies
de collodion ?

5-8
Félix Tournachon, dit Nadar (1820-1910)
Quatre variantes du portrait de l'« Apôtre »
Jean Journet

1857
Tirages sur papier salé et albuminé d'après négatif
sur verre au collodion
Environ 27 × 22 cm
Acquisition auprès de la petite-fille du photographe
en 1949
Eo 15 petit folio Réserve

L'acquisition, en 1949, du fonds d'atelier de Nadar
auprès de sa petite-fille a permis de faire entrer
dans les collections nationales un ensemble très
important d'œuvres de ce maître du portrait et
en particulier des séries et des variantes de tirages
autour d'un même personnage, ce qui permet de
reconstituer la séance de pose et les fluctuations
de l'inspiration de l'artiste. « Apôtre » de la doctrine
fouriériste et considéré par ses contemporains
comme un illuminé opiniâtre, Jean Journet (1799-
1861) conserve l'estime et l'amitié de Nadar qui
traite à la manière des peintres du Siècle d'or
espagnol « cette tête fulgurante de saint Pierre »,
pour reprendre ses propres termes.

XIXe siècle. Poses d'atelier

9
**Félix Tournachon, dit Nadar
(1820-1910)**
Le Général Cavaignac

1857
Tirage sur papier salé d'après négatif
sur verre
26 × 20,8 cm
Ancienne collection Georges Sirot,
acquisition 1955
Eo 15 petit folio Réserve

Fer de lance de la conquête
de l'Algérie, héros controversé de
la révolution de 1848, cet homme
politique hors du commun avait tout
pour séduire Nadar, lui-même
furieusement républicain. Il pose ici
quelques semaines avant sa mort
soudaine en octobre 1857.
Le cadrage décentré dramatise
la rigueur militaire de la silhouette.

10

Léon Crémière (1831 – après 1871)
*« Les Chefs des Touaregs, 1er juin 1862.
[De gauche à droite :] Si Mohamed Ould
si Moussa, 2e chef des Touaregs, Si
Otman si el Hadj Bechir, 1er chef des
Touaregs, Si Mohamed Ould si Ahmed,
3e chef des Touaregs »*
Tirage albuminé d'après négatif sur verre au
collodion
25 × 19 cm
Ancienne collection Gabriel Cromer,
acquisition 1945
Eo 43 b petit folio tome II

Cette délégation de chefs touaregs
venus à Paris en 1862 excita la curiosité
des foules et l'émulation des
photographes. Les nombreux portraits
réalisés à cette occasion mettent en
valeur les costumes, les armes et jouent
sur les visages traditionnellement
masqués. Cette version, due à Léon
Crémière, trouve l'équilibre entre la
banalité du lieu et la force du groupe
grâce à quelques éléments de décor
d'un orientalisme discret.

11
Antony-Samuel Adam-Salomon (1818-1881)
ou Léon Crémière (1831 – après 1871)
et Erwin Hanfstaengl (1837-1905)
*Enfant endormi [le prince impérial,
fils de Napoléon III ?] dans l'atelier
du photographe*
1856-1860
Tirage sur papier salé d'après négatif sur verre
au collodion
25,3 × 20 cm
Don de Mme Gabriel Cromer en 1947
Eo 16 b petit folio

Ce singulier portrait d'enfant pose une
complexe question d'identification. Le format,
le tirage et la provenance le rattachent à une
série de portraits par Crémière et / ou
Hanfstaengl, un temps associés à Paris.
Seulement, le fauteuil solennel est connu dans
l'atelier du sculpteur et photographe Adam-
Salomon, qui a, justement, appris la
photographie chez Hanfstaengl, en 1858, et qui
pratique un style semblable. Or l'identification
de l'auteur est déterminante pour celle
du modèle. Dans les traits de l'enfant, on

a reconnu le prince impérial, né au début
de l'année 1856. S'il s'agit bien du fils de
Napoléon III, le portrait ne peut être d'Adam-
Salomon qui ne commença à produire qu'en
1859. Si, au contraire, il s'agissait bien d'une
œuvre de celui-ci, l'enfant retomberait dans
l'anonymat. Que cette impériale nudité drapée
de velours sombre soit un effet de style gratuit
ou bien la mise en majesté de l'héritier
du trône, l'un de ces trois artistes a signé ici
une composition qui est sans équivalent
ni en photographie ni en peinture.

12
Goplo (actif vers 1886)
Mademoiselle Cléo

1886
Tirage sur papier albuminé d'après négatif
sur verre au gélatino-bromure d'argent
19,8 × 12,5 cm
Dépôt légal
Eo 155b petit folio

On ne sait rien du photographe qui
déposa quelques belles épreuves en
1886 ni du jeune modèle. L'œuvre,
complexe dans sa composition,
évoque irrésistiblement Lewis Carroll,
voire Balthus, proposant un des plus
troublants portraits d'enfant
de la photographie du XIXᵉ siècle.

Le monde en cartes de visite

Le format carte-de-visite, breveté en 1854 par le photographe Eugène Disdéri, permet la réalisation rapide et peu coûteuse de petits portraits contrecollés sur carton. Ils étaient destinés à être déposés dans les antichambres à la manière des cartes de visite traditionnelles, et / ou collectionnés en albums. Le succès de cette innovation fut prodigieux jusqu'à la Première Guerre mondiale. Grâce au dépôt légal et à divers dons et acquisitions, la Bibliothèque nationale de France en a accumulé plusieurs dizaines de milliers. Les portraits classiques d'atelier demeurent la majorité de la production mais on trouve aussi de nombreuses variantes inattendues, inventives, amusantes ou répondant à des préoccupations particulières.

13
Blaise Bonnevide (1824-1906)
Portraits carte-de-visite pris à Saint-Louis du Sénégal
Au dos de chaque carte : « Bonnevide. Photographie des colonies. 9 rue Bachelet, Paris. Vues et portraits d'indigènes du Sénégal. Reproduction interdite. »
1884-1885
Tirages sur papier albuminé d'après négatifs sur verre au gélatino-bromure d'argent
Dépôt légal
Eo2 Bonnevide

Installé au Sénégal, le photographe français Bonnevide a déposé au Cabinet des estampes un ensemble de plusieurs dizaines de portraits de Sénégalais. Rarissime exemple de la pratique du portrait dans les colonies françaises d'Afrique noire, l'échantillon présenté ici adapte heureusement les conventions du genre à la réalité du monde de l'Afrique.

14

Ernest Appert, Alphonse Bertillon, Pierre Petit
et anonymes
Dix-huit portraits de condamnés
Diard, Édouard-Louis, corroyeur, né en 1849, participation
à l'insurrection et complicité d'assassinat. Saubiran
Jean-Marie, né en 1837, participation à l'insurrection.
Jammet Louis Alphonse, né à Bruxelles en 1831, arrêté
en 1873 pour participation à l'insurrection. Luitrilher,
condamné à mort, insurrection de 1871, par Appert.
Louise Michel, par Appert. Hauger, à perpétuité, par
Appert. Eugène Damour, par Appert. Pèlerin, incendiaire
Légion d'honneur, par Appert. Colombus, par Appert.
Garde au 178e bataillon fédéré. Sergent, perpétuité,
par Appert. Bénaud, condamné à mort, insurrection
de 1871, par Appert. Baudouin, condamné à mort, fusillé
le 6 juillet 1872, insurrection de 1871, par Appert. Courbet,
par Pierre Petit. Groslard, par Appert. August Edelmann,
34 ans, voleur, 2 ans de prison. Steil Jean-Baptiste, 66 ans,
journalier, bannissement. Ravachol, par Bertillon.
Vité, incendiaire des Tuileries, par Appert.

Dates diverses
Tirages sur papier albuminé d'après négatifs sur verre au collodion
Don Gérard Lévy, 2003 ; ancienne collection Georges Sirot,
acquisition 1955 ; don du musée de l'Homme, 1966.

Avant la mise au point du portrait judiciaire par Alphonse
Bertillon au milieu des années 1880, on rencontre déjà
quelques utilisations de la photographie par la police.
Les portraits de communards réalisés en prison par Appert
en 1871 ont, en particulier, servi à la préfecture de police
pour nourrir les dossiers des condamnés. Les documents
présentés ici sont passés par ces bureaux comme en
témoignent les cachets et les annotations manuscrites.

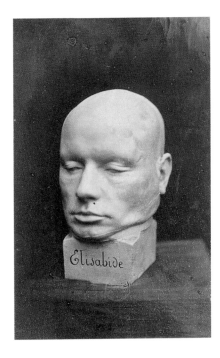

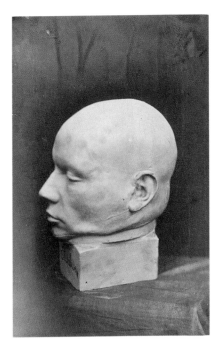

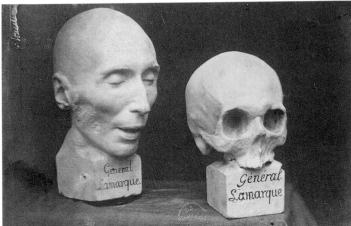

15

Betbeder, photographe, 221, place de la Bastille
*Photographies de moulages de têtes
de personnalités et assassins célèbres
Élisabide. Le général Lamarque. Lacenaire.
Dumollard. Spurzheim. Fieschi. Louvel. Darmès.*

Dépôt légal 1863
Tirages sur papier albuminé d'après négatifs sur verre
au collodion
Eo2 Betbeder

Les liens entre la pratique du moulage et celle de
la photographie sont attestés à des dates précoces
dans le domaine de l'archéologie comme dans
celui des beaux-arts. Les deux pratiques sont
également en faveur au xixᵉ siècle pour garder
le souvenir affectif ou l'empreinte phrénologique
d'un disparu. La série produite par Betbeder,
photographies de moulages de têtes, appartient
au genre politico-morbide. Ces têtes ont appartenu
à de célèbres décapités : Louvel assassina le duc
de Berry en 1820 et fut guillotiné la même année ;
le brigand meurtrier Lacenaire fut décapité
en 1836 ; Dumollard défraya la chronique sous
le Second Empire par la brutalité de ses crimes…
Quant à Johann Gaspar Spurzheim, c'est, juste
retour des choses, l'inventeur avec Gall de la
phrénologie. Il s'agit donc d'exploiter le goût pour
le sensationnel du badaud sous un respectable
prétexte scientifique. L'adresse place de la Bastille
est sans doute un élément publicitaire de plus.

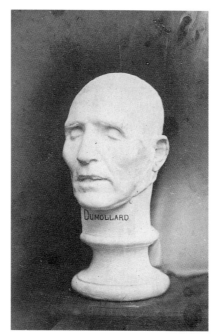

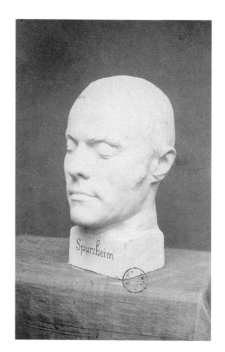

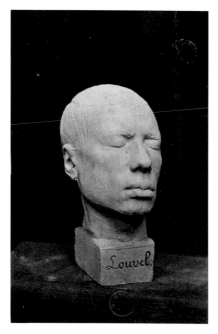

16
Divers auteurs
Chien appuyé sur un appareil photographique ; ancienne collection Georges Sirot, acquisition 1955. *Un petit chien blanc*, par Weyler ; dépôt légal 1863. *Chien*, par Delton ; dépôt légal 1862. *Chien*, par Delton ; dépôt légal 1862. *Stonnett en chat au miroir*, par Saint Edme ; dépôt légal. *Montage : chien à tête d'homme*, par Maujean et Dubois ; provenance inconnue. *Louise Dupin en papillon*, par Liébert ; dépôt légal. *Montage : femme à tête d'homme*, par Maujean et Dubois ; provenance inconnue. *Double portrait féminin*, par J. Van de Gend fils ; dépôt légal 1864. *Blanche de Varennes dans un miroir*, par Gaston et Mathieu, dépôt légal. *Le Dompteur Hermann à l'hippodrome de Paris*, par Mayer et Pierson ; dépôt légal 1863. *Les Clowns Georges et Samuel*, par Delton ; dépôt légal 1863. *Les Clowns Georges et Samuel*, par Delton ; dépôt légal 1863. *Un clown*, par Pesme ; dépôt légal 1861. *Le Mime Debureau*, par Carjat ; dépôt légal 1865. *L'Homme en caoutchouc*, par Delton ; dépôt légal 1863. *Un clown*, par Pesme ; dépôt légal 1861. *Une faux*, par Villeneuve ; dépôt légal.
Tirages sur papier albuminé d'après négatifs sur verre au collodion
Eo2 [suivi du nom du photographe]

Le petit format du portrait-carte est le support idéal pour diffuser les images de diverses célébrités des spectacles parisiens, actrices pulpeuses, clowns ou dompteurs dans des mises en scène parfois approximatives. La commercialisation de ces images fait l'objet d'accords entre le photographe et le modèle, chacun ayant intérêt à en vendre le plus possible. Elles étaient collectionnées et rangées dans des albums souvent thématiques (acteurs, écrivains, etc.). On trouve aussi diverses fantaisies, photomontages ou autres mystifications dont l'humour ou l'inventivité restent sensibles.

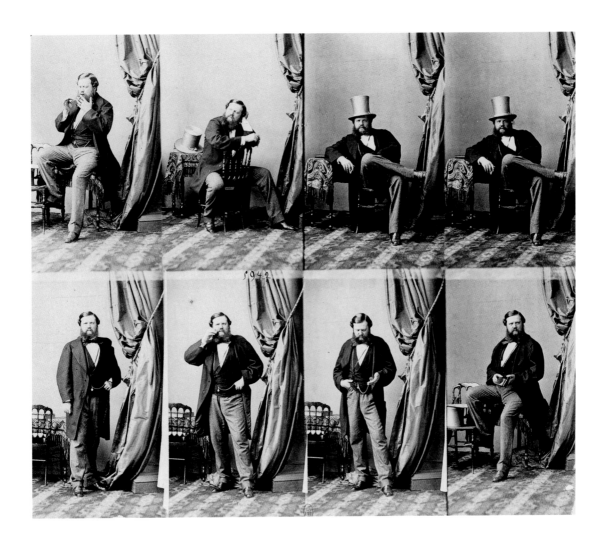

17

Eugène Disdéri (1819-1889)
Baron Adolphe de Rothschild

1858
20 × 23 cm
Tirage sur papier albuminé d'après négatif sur verre
au collodion
Ancienne collection Maurice Levert, acquisition 1995
Eo 19 boîte folio

L'acquisition récente de près de vingt mille tirages
provenant de l'atelier parisien de Disdéri ainsi que
de son registre de clientèle a permis de conserver
ensemble près du tiers de l'œuvre de celui qui fut
l'inventeur du portrait au format carte-de-visite.
Les planches sont dans leur état d'origine,
avant découpe et collage sur un carton au nom
du photographe. On a ainsi sous les yeux tout le
déroulement de la séance de pose et les attitudes
successives adoptées par les modèles. Conçues
pour démocratiser le portrait photographique
en abaissant les coûts et en rationalisant
la production, ces images furent d'abord la
coqueluche du grand monde. Les jeunes gens
fashionables s'amusèrent volontiers à parader
devant l'objectif qui enregistra leurs fantaisies.

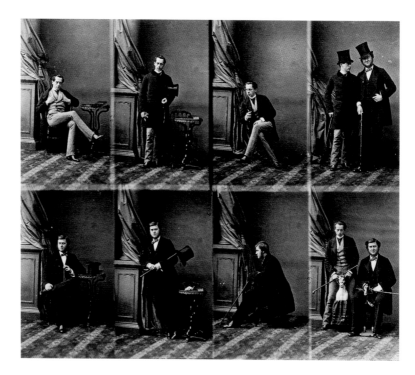

18
Eugène Disdéri (1819-1889)
*Prince d'Arenberg et Jules
de Saint-Sauveur*
1858
20 × 23 cm
Tirage sur papier albuminé d'après négatif
sur verre au collodion
Ancienne collection Maurice Levert
Acquisition 1995
Eo 19 boîte folio

19
Eugène Disdéri (1819-1889)
*Vicomte Charles de Corberon et comte
de Fracontel*
1858
20 × 23 cm
Tirage sur papier albuminé d'après négatif
sur verre au collodion
Ancienne collection Maurice Levert
Acquisition 1995
Eo 19 boîte folio

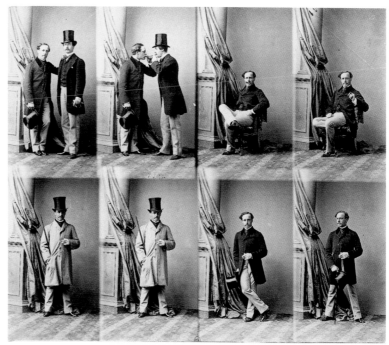

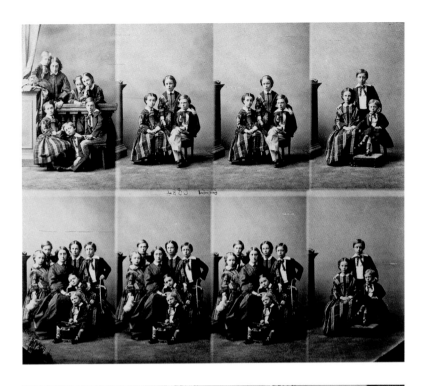

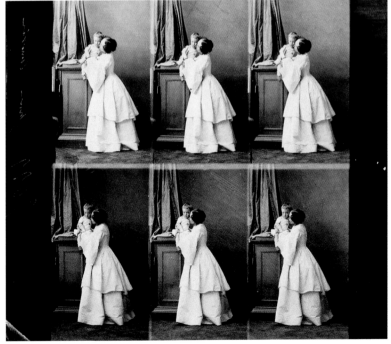

20
Eugène Disdéri (1819-1889)
Comtesse Hatzfeld et ses enfants

1857
20 × 23 cm
Tirage sur papier albuminé d'après négatif
sur verre au collodion
Ancienne collection Maurice Levert
Acquisition 1995
Eo 19 boîte folio

21
Eugène Disdéri (1819-1889)
*Marquise d'Audiffret-Pasquier et son
enfant*

1857
20 × 23 cm
Tirage sur papier albuminé d'après négatif
sur verre au collodion
Ancienne collection Maurice Levert
Acquisition 1995
Eo 19 boîte folio

22
Eugène Disdéri (1819-1889)
Princesse Pauline de Metternich

1861
20 × 23 cm
Tirage sur papier albuminé d'après négatif
sur verre au collodion
Ancienne collection Maurice Levert
Acquisition 1995
Eo 19 boîte folio

23
Eugène Disdéri (1819-1889)
Madame Kann

1858
20 × 23 cm
Tirage sur papier albuminé d'après négatif
sur verre au collodion
Ancienne collection Maurice Levert
Acquisition 1995
Eo 19 boîte folio

Les portraits de femmes jouent sur un
registre différent : attitudes gracieuses,
mise en valeur de la toilette, scènes
familiales. Les planches non coupées
forment ici aussi d'involontaires
saynètes où la succession, la
juxtaposition, la répétition de vues
destinées à être séparées forment
une œuvre nouvelle et inattendue,
entre le cinéma muet et Andy Warhol.

D'après nature

24
Adalbert Cuvelier (1812-1871)
Forgeron

Vers 1852
Tirage sur papier salé d'après
négatif sur papier
28 × 22 cm
Acquisition 1992
Eo 224 folio

25 (voir ill. p. 10)
Adalbert Cuvelier (1812-1871)
Portrait d'homme

Vers 1852
Tirage sur papier salé d'après
négatif sur papier
28 × 22 cm
Acquisition 1992
Eo 224 folio

26
Adalbert Cuvelier (1812-1871)
Portrait d'homme dans un jardin
1852
Signé en bas à droite « A C 1852 »
Tirage sur papier salé d'après négatif sur papier
36 × 27,5 cm
Acquisition 1992
Eo 224 folio

Peintre à Arras et ami de Corot, Adalbert Cuvelier est comme lui un adepte du cliché-verre, et en photographie s'illustre surtout par ses paysages, ainsi que son fils Eugène avec qui il collabore étroitement. Les quelques portraits que nous connaissons de lui, en grand format pour des calotypes, frappent par leur maîtrise. Nulle trace de contrainte, nul formalisme. Ils possèdent une force d'inspiration, une tranquille évidence, une poésie rare. Plutôt que Bayard ou Charles Nègre, ils évoquent les œuvres du groupe d'amateurs réuni à la manufacture de Sèvres ou les thèmes de Le Gray et de ses élèves au début des années 1850.

27
Louis de Clercq (1836-1901)
Souedieh. Séleucie. Statue de l'Oronte
1859
Négatif sur papier ciré sec
29 × 22,5 cm
Acquisition 2003
Ei 91b Réserve

La Bibliothèque nationale de France a pu enrichir ses collections de quelques-uns des négatifs de Louis de Clercq dont un ensemble important est récemment apparu. Il est rare de pouvoir réunir le négatif et le tirage d'une œuvre ancienne. Aussi ces négatifs viennent-ils heureusement compléter la série des albums publiés par de Clercq à son retour d'un voyage qui l'avait conduit autour de la Méditerranée. En un temps où l'agrandissement n'existe pas, les négatifs sont, par la taille et la texture, des documents bien lisibles et souvent d'une grande beauté.

28
Gabriel de Rumine (actif vers 1858-1860)
Légende imprimée sur le carton de montage :
« Photographie de Rumine 10 rue Villedo / Italie.
Naples / Musée Bourbon / Hercule Farnèse »
1859
Tirage sur papier albuminé d'après négatif sur verre
au collodion
40 × 34 cm
Ancienne collection Alfred Armand, don 1887
Ad 34a folio, tome 31, folio 30

Gabriel de Rumine voyagea autour de la
Méditerranée avec le grand-duc Constantin,
fils de Nicolas Ier de Russie. Il rapporta une série
de vues prises en France, Italie et Grèce dont
la BNF possède, grâce au dépôt légal et divers
enrichissements postérieurs, une série complète.
Ce sont de grands formats qui dénotent une
connaissance parfaite de la technique. La vision
de cet aristocrate russe intègre parfaitement
toutes les possibilités propres à la photographie :
il joue de l'échelle des objets, des effets de flou,
de lumière, de contre-plongée, avec une virtuosité
peu fréquente. Ainsi rend-il de façon spectaculaire,
l'imposante masse de marbre de l'*Hercule Farnèse*.

29
Julien Vallou de Villeneuve (1795-1866)
Deux femmes
Étude d'après nature n° 1308

1854
Tirage sur papier salé d'après négatif sur papier
16,8 × 12 cm
Dépôt légal
Eo 9 folio tome 8

Du peintre et photographe Vallou
de Villeneuve, on retient surtout les nus.
Mais ses études d'après nature s'étendaient
aux scènes de genre, aux études de
costumes, de gestes, etc. Grâce au dépôt
légal, la BNF possède l'ensemble le plus
complet de ses photographies, soit plusieurs
centaines. Ces deux modèles caressés
par le soleil composent un groupe intime
comparable aux compositions de Hill et
Adamson ou de Julia Margaret Cameron.

30
Paul-Émile Miot (1827-1911)
*Indiennes Micmac (Terre-Neuve) sur le pont
de L'Ardent*

1857
Tirage sur papier albuminé d'après négatif sur verre
au collodion
20,5 × 17 cm
Ancienne collection Gabriel Cromer,
acquisition 1945
Cote Eo 22 folio

Officier de marine, Miot lie étroitement son
activité photographique aux campagnes
auxquelles il prend part. La série de Terre-
Neuve, premier ensemble connu réalisé en
1857, est variée : scènes de la vie à bord,
paysages, vues de villes et quelques portraits.
Sur le visage de ces Indiennes amenées
sur le pont de *L'Ardent*, se lit le trouble de la
confrontation avec le photographe qui va leur
voler leur image. L'image a été diffusée au
format carte-de-visite par Disdéri à la même
époque, sans mention du véritable auteur.

31
Paul-Émile Miot (1827-1911)
Habitante de Terre-Neuve (sur le pont de L'Ardent)
1857
Tirage sur papier albuminé d'après négatif sur verre au collodion par Furne et Tournier
23,5 × 16,3 cm, en ovale
Dépôt légal 1858
Eo 22 folio tome 2

Contrairement à l'image précédente, on a affaire ici à une scène très étudiée. La femme prend place sereinement dans une superbe composition qui exploite habilement le décor du gaillard arrière du bateau.

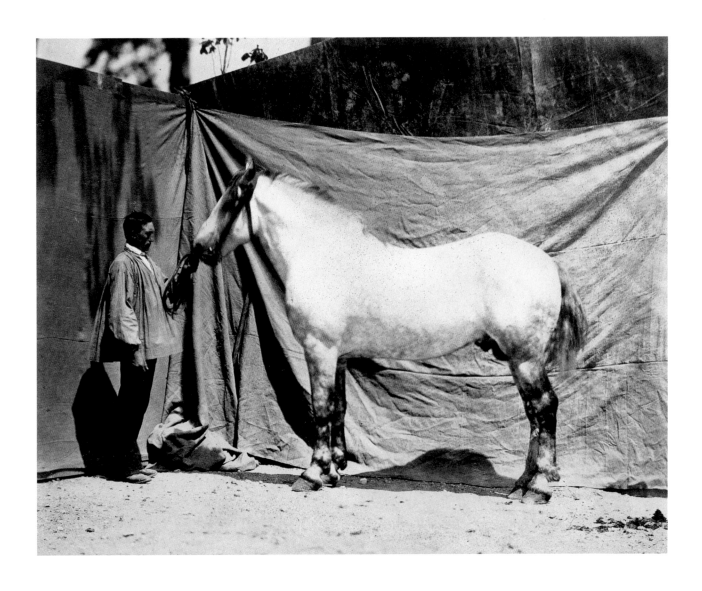

32
Adrien Tournachon (1825-1903)
« Tonneau. Né en 1851. Son père et sa mère
de race boulonnaise. Mention honorable
des étalons. Race boulonnaise de gros trait. »

Vers 1857-1858
Tirage sur papier salé d'après négatif sur verre
au collodion
17,6 × 22,8 cm
Ancienne collection galerie Texbraun
Acquisition 1999
Eo 99 folio

Le jeune frère de Nadar, Adrien Tournachon,
photographe de talent lui aussi, se fait une
spécialité des portraits d'animaux primés.
On connaît de lui une belle série de taureaux
et de chevaux de concours : un genre qui
a peu évolué depuis, jusque dans
l'interprétation qu'en a donnée récemment
Yann Arthus-Bertrand. Outre la beauté du
tirage, on notera l'à-peu-près du décor, le
cadrage n'étant pas celui qu'appelle la toile
de fond. L'élément aléatoire ainsi introduit
dans la scène en tempère le formalisme.

33
Henri Langerock (1830-1915)
La Vache

1872
Tirage sur papier albuminé d'après négatif
sur verre au collodion
17,8 × 24 cm
Dépôt légal
Jb 5 folio tome 11, double de Eo 267 folio

Peintre belge passé à la photographie,
Henri Langerock a déposé de
nombreuses épreuves au début des
années 1870. Ce sont des études
destinées à la documentation des
peintres : animaux de ferme et vues
de la forêt de Fontainebleau. Cette étude
de vache tranche avec la facture
généralement classique de l'artiste : la
nécessité de maintenir la bête immobile
l'a conduit à une trouvaille d'une exquise
gaucherie.

Le photographe à la reconquête de son corps

Il semble qu'au XIXᵉ siècle la présence inopinée du photographe au sein de son image ait été considérée comme un défaut. En témoignent ces manuels qui exhortent l'opérateur à ne pas tourner le dos au soleil afin que son ombre ne vienne obstruer la partie inférieure de son image ; en témoignent encore ces articles de revues qui recommandent au photographe de se méfier de son propre reflet lorsqu'il photographie des surfaces réfléchissantes.

Sans doute y a-t-il derrière ces prescriptions – qui nous paraissent aujourd'hui bien curieuses au regard des développements ultérieurs de l'histoire de la photographie – la volonté d'entretenir l'illusion d'un médium parfaitement objectif, parce qu'apparemment exempt d'intervention humaine, achéiropoïète, *sine manu facta*, non fait par la main de l'homme, et de faire disparaître, à cet effet, toutes traces de sa présence dans l'image. Durant ce premier siècle de la photographie, l'ombre et le reflet du photographe sont encore des indices embarrassants qui trahissent son importance dans le processus de production de l'image.

Dans la conception et l'usage majoritairement utilitaristes de la photographie au XIXᵉ siècle, c'est de surcroît sa capacité à reproduire le plus fidèlement possible son sujet qui compte. Le photographe en tant que tel est de peu d'importance. Il n'est qu'un opérateur au service de l'enregistrement. La plupart des photographes qui signent leurs tirages le font davantage pour revendiquer un droit de propriété qu'une esthétique personnelle. La notion d'auteur intervient certes très tôt dans le siècle, mais c'est sous sa forme juridique, pour désigner l'ayant droit de la reproduction. L'auteur, tel qu'on le conçoit aujourd'hui, c'est-à-dire généralement comme un artiste, n'apparaît que très tardivement, à la toute fin du XIXᵉ siècle avec le pictorialisme, puis au début du suivant avec les avant-gardes.

Comment interpréter dès lors ces images de Charles Thurston Thompson, d'Alphonse Liébert ou d'Eugène Atget dans lesquelles le photographe figure tout de même par le truchement de son ombre ou de son reflet. À défaut d'informations précises sur l'intentionnalité des photographes, on peut envisager trois hypothèses :

– Sa présence est accidentelle. Lorsqu'il a composé son image, à l'envers sur son dépoli, l'opérateur était dissimulé derrière sa chambre noire, et n'a pas pensé qu'au moment d'obturer il apparaîtrait dans son cadre.

– Sa présence est sans importance. Sachant que son image est un document de base qui sera ensuite transposé en dessin ou en gravure, le photographe ne s'est guère soucié de ces petits défauts qui pourront aisément être escamotés, retouchés ou recadrés.

– Sa présence est délibérée. Comme dans cette autre photographie où Pierre Petit fait croire qu'il s'est endormi devant l'objectif pour expliquer sa présence dans l'image, ces ombres et ces reflets sont d'habiles stratagèmes. Ils sont des ruses de photographes pour réinvestir physiquement leurs images. Ils sont le signe revendiqué, la signature iconographique, d'un auteur qui s'affirme et s'affiche. Si tel était le cas, ces quelques images participeraient alors déjà à ce que Georges Bataille décrira plus tard, à propos de la photographie, comme un « mouvement obstiné de reconquête du corps », celui du photographe lui-même – en l'occurrence.

Clément Chéroux

34
Pierre Petit (1831-1909)
Autoportrait « endormi »
sur une chaise

Signé au milieu à gauche
1863
Tirage sur papier salé d'après négatif
sur verre au collodion
24,5 × 19 cm, coins coupés
Don de l'auteur
Société française de photographie

35
Alphonse Liébert (1827-1914)
« Hôtel de Ville pendant la Commune »
[ombre portée du photographe et de
son appareil devant le groupe d'insurgés]
1871
Tirage sur papier albuminé d'après négatif
sur verre au collodion
20 × 25 cm
Ancienne collection Georges Sirot, acquisition
1955
Eo 33 folio tome 1

36
Charles Thurston Thompson
(1816-1868)
« N° 92 Mirror in silver repoussé
work. English, circa 1660.
Possessors Earl & Countess
Amherst Knole »

1853, à l'occasion de l'exposition
de meubles et objets d'art organisée
à Gore House
Tirage sur papier albuminé
d'après négatif sur verre au collodion
22,8 × 17 cm
Donation de la baronne Salomon
de Rothschild, 1922
Hd 110 z 4°, pl. 17

37

Eugène Atget (1857-1926)
*« 57 rue de Varenne, ambassade
d'Autriche »* [dans le miroir de la
cheminée se reflète l'appareil sur pied,
le manteau et le chapeau d'Atget]

1905-1906
Tirage sur papier albuminé d'après négatif
sur verre au gélatino-bromure d'argent
17,3 × 22 cm
Acquisition 1907
Eo 109b boîte 11

38
Yvon de Broca
Vision à 120 km/heure
Signé en bas à droite sous l'image
1938
Tirage argentique
23 × 40 cm
Don de l'auteur
Société française de photographie

Le voyage en automobile fut, dans les années 1920-1930, un sujet de prédilection pour les photographes modernistes. En 1931, Germaine Krull, André Kertész, Emmanuel Sougez et Moï Ver illustrent *La Route de Paris à la Méditerranée* de Paul Morand. À la même époque, Man Ray, Anton Stankowski, ou Yvonne Chevalier photographient également depuis des voitures lancées à pleine allure. La photographie d'Yvon de Broca, *Vision à 120 km/heure*, qui fut

exposée au XXXIIIe Salon international d'art photographique de Paris en 1938, s'inscrit pleinement dans cette tradition. Son titre rappelle même étonnamment le *1 / 100e de seconde à 70 km/h* de Stankowski (1930) ou *Le Pommier, 100 km/h* de Chevalier (1929). Mais, à rebours de ces images qui célèbrent essentiellement la vitesse, de Broca semble davantage intéressé par la manière dont le voyageur s'intègre au paysage qu'il traverse. Par la multiplication des effigies du conducteur et leurs superpositions à l'allée d'arbres qui bordent la route, de Broca produit ce curieux effet de surimpression que décrira Paul Virilio quelques années plus tard, cette étrange sensation visuelle que l'on éprouve lorsqu'on voit son reflet « dans la vitre d'une portière de train ou d'automobile, traversée par le tumulte du paysage fuyant comme un trait ».

Cercles d'artistes et d'amateurs

Ce célébrissime portrait de Julia
Jackson est ici magnifié par un tirage
d'une exceptionnelle densité.
La provenance, un don de Vanessa
Bell, fille du modèle et sœur de Virginia
Woolf, conduit à penser qu'il s'agit
de l'exemplaire tiré, avec un soin tout
particulier, pour Julia Jackson.

Ce portrait et le suivant appartiennent
à l'œuvre extraordinairement abondante
d'un amateur aisé donnée à la
Bibliothèque en 1944. En huit mille
clichés pris entre 1885 environ
et le tournant du siècle, se déroulent
les loisirs d'une vie de famille dans
une agréable propriété, des voyages
(France, Suisse), l'Exposition universelle
de 1889, etc. Cette production,
dont la qualité apparaît dans les deux
portraits d'enfants retenus ici,
mériterait une étude détaillée.

41
Anonyme
Petit garçon aux dominos
Vers 1886
Tirage argentique d'après négatif
au gélatino-bromure d'argent
22,4 × 15,2 cm
Don M. et Mme Maurice Rousseau, 1944
En1 8 b petit folio, tome 1

42
Dornac
Paul Verlaine au café
Série *Nos contemporains chez eux*
1896
Tirages albuminés d'après négatif sur verre
au gélatino-bromure d'argent
Dépôt légal
Eo 88 petit folio, tome 2

Ces portraits ont été pris peu de temps
avant la mort de Verlaine. Contrairement
aux autres artistes de cette série qui
recevaient le photographe dans le décor
généralement flatteur de leur intérieur,
il pose dans son lieu public de
prédilection. Le verre d'absinthe,
le regard perdu, la pose familière
disent de façon poignante la fin de la vie
du poète.

43

Charles Gerschel (actif vers 1890-1930)
« Silhouette de Rodolphe Salis, le gentilhomme cabaretier du Chat-noir, prise devant l'écran du fameux théâtre d'ombres chinoises »

Dédicace de l'auteur : « Rodolphe Salis, du Chat noir, à Ernest Lajeunesse, son ami Ch. Gerschel »
Vers 1895
12,7 × 8,7 cm, en ovale
Ancienne collection Georges Sirot, acquisition 1955
Eo 354 b boîte

Charles Gerschel n'a pas été étudié. Si l'on en juge par sa clientèle plutôt éclectique, allant de Robert de Montesquiou aux cabarets de Montmartre en passant par Nijinski, ce fut un portraitiste en vue dans le monde artistique. Il signe ici un beau portrait de Rodolphe Salis, créateur en 1887 avec Henri Rivière et Caran d'Ache du théâtre d'ombres chinoises du Chat-noir.

44
Maurice Guibert (1856-1913)
*Toulouse-Lautrec peignant Au Moulin rouge,
la danse*

1890
Tirage argentique
26,5 × 36 cm
Don de Mme Guibert, 1955
N3 Toulouse-Lautrec

Parfait représentant du photographe amateur
bon vivant et fortuné, Maurice Guibert, outre
les albums personnels concernant sa vie,
ses voyages et ses facéties, nous a laissé
quelques belles images de Toulouse-Lautrec.
Compagnon de vacances et d'excursion
du peintre, il l'a photographié plongeant
dans le bassin d'Arcachon, dans sa propriété
de Valromé, et surtout comme ici à l'œuvre
dans son atelier.

45

Eugène Druet (1868-1917)
*Vaslav Nijinski dans « La danse
siamoise » des Orientales*

Dimanche 19 juin 1910
Tirage argentique d'après négatif sur verre
au gélatino-bromure d'argent
38,5 × 26 cm
Don de la famille Néville-Blanche, 1943
N3, Nijinski

Nijinski pose dans le jardin de la villa du
peintre Jacques-Émile Blanche à Auteuil.
Il avait été convié là avec sa partenaire
Tamara Karsavina par Diaghilev,
grand ami de Blanche. Le danseur est
photographié par Druet dans le costume
du rôle qu'il va créer le 25 juin pour
la nouvelle saison des Ballets russes.
Jacques-Émile Blanche peindra huit
portraits d'après la vingtaine
de photographies prises ce jour-là.
Cette « danse des mains », selon son
expression, a été donnée à la
Bibliothèque nationale par sa famille
parmi un ensemble d'une trentaine
de portraits du peintre et de ses amis.

46

John Léo (dit Jean) Reutlinger
(1891 – 22 août 1914)
Portrait de la poétesse Germaine
Schroeder dans son appartement
du 52, rue Madame
Signé en bas à droite sur le montage « JR »,
daté en bas à gauche sur le montage
1913
Procédé pigmentaire
19,8 × 6,5 cm
Don 1980
Eo 114 b petit folio, tome 2

Fils, petit-fils et petit-neveu de
photographes professionnels parisiens,
Jean Reutlinger pratique, entre autres,
la photographie au cours d'une brève
existence qui s'achèvera à vingt-trois ans
dans les premiers combats de la Grande
Guerre. C'est un jeune homme exalté
et sensible, cultivant avec ferveur son

corps comme son esprit, poète
collaborant avec son amie Germaine
Schroeder à la revue *La Vasque* mais
aussi champion d'athlétisme, et lié
au coureur allemand Hans Braun.
Son œuvre photographique, nus,
portraits, paysages, est d'un classicisme
épuré servi par de beaux tirages
aux pigments. Ses portraits évoquent
le pictorialisme retenu de Steichen
plutôt que celui de l'école française.
Dans une série d'autoportraits avec
Germaine Schroeder, dont la BNF
ne possède que les négatifs, il explore
une voie différente, intime et forte.
Cette chronique d'un amour cisaillé
par la guerre laisse deviner qu'il aurait
été un acteur important du retour
à la « photographie pure ».

Autoportraits avec Germaine Schroeder
Tirages modernes d'après le négatif original
Vers 1913

47
**John Léo (dit Jean) Reutlinger
(1891 – 22 août 1914)**
Portrait de jeune homme
Signé JR en bas à droite sur l'épreuve
1911
Procédé pigmentaire
15,8 × 10,7 cm
Don 1980
Eo 114 b petit folio, tome 1

Ce jeune homme élégant, cadré serré,
entre *L'Homme au gant* de Titien et
le cercle tronqué d'un miroir, entre
passé et avenir, paraît l'allégorie même
de la photographie qui vient de basculer
dans le XXᵉ siècle où elle va revendiquer
d'explorer librement ses propres voies.

48

Robert de Montesquiou (1855-1921)
« Le Chasseur de chauves-souris »
[autoportrait]

1885
Cyanotype avec rehauts d'argent
22,8 × 16,5 cm
BNF, MSS, NAF 15039, f. 101

Ces trois portraits font partie d'un
volume intitulé « Robert de Montesquiou.
Sa vie, ses demeures. La rue Franklin,
n° 8. 2ᵉ partie ». Les folios 95 à 132 sont
intitulés *Blue Devil* : il s'agit d'une série
de portraits au cyanotype (tirages aux
sels de fer d'une couleur bleue soutenue,
d'où le titre) représentant la plupart
du temps Robert de Montesquiou dans
une variété de mises en scène et de
travestissements, mais aussi sa nièce
Aude, son père et des domestiques
de la famille. L'extrême narcissisme
de Montesquiou adopte ici des figures
inspirées de ses propres poèmes.
Ces portraits bleus rehaussés d'argent
et enluminés d'arabesques sont
comme des icônes destinées au culte
de lui-même.

49
Robert de Montesquiou
(1885-1921)
« Le Buddha »

1885
Cyanotype avec rehauts d'argent
22,8 × 16 cm
BNF, MSS, NAF 15039, f. 102

50

Robert de Montesquiou (1885-1921)
« Portrait de Aude de Montesquiou »,
nièce de Robert de Montesquiou, future
comtesse François de Pange

Vers 1889
Cyanotype
23,5 × 17,8 cm
BNF, MSS, NAF 15039, f. 121

Nombreux sont les portraits d'Aude :
dans le jardin de la rue Franklin,
se promenant sur un âne ou comme ici
dans un décor champêtre. La fillette,
de dos, face à une prairie de fleurs
blanches, est une invention charmante,
bien loin des afféteries fin de siècle
dont Montesquiou est coutumier.

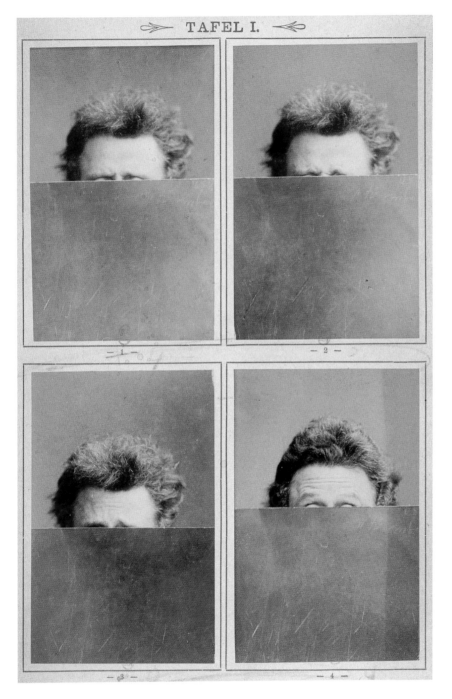

TAFEL I.

— 1 —   — 2 —

— 3 —   — 4 —

51
Nicola Tonger
Portraits du comédien Carl Michel
Planche 1 de Die Gebärdensprache erläutert
durch 94 mimische Darstellungen von Carl
Michel (Le langage des gestes expliqué
par 94 mimiques de Carl Michel), Cologne,
Dumont-Schauberg, 1886
« Tafel I. Figur 1 Stirn bei ernstem
Nachdenken ; Figur 2 Stirn bei Zorn ; Figur 3
Stirn beim Weinen ; Figur 4 Stirn bei
komischem Erstaunen » (Planche 1. Figure 1
Front de la profonde réflexion ; figure 2 Front
de la colère ; figure 3 Front des pleurs ;
figure 4 Front de l'étonnement bouffon)
Tirages sur papier albuminé d'après négatif
sur verre au collodion
9 × 6 cm, quatre épreuves
Ancienne collection Georges Sirot, acquisition 1955
Jf 56 4o

Avant de passer à des photographies
du visage ou du corps en entier, ce livre,
que l'on peut en partie rattacher à la tradition
ancienne des études d'expression de Charles
Le Brun, s'ouvre sur une série étrange.
Pour mieux isoler l'expression des sourcils
et du front, Tonger y a dissimulé le bas du
visage. Ces fragments de tête qui, en dessin
ou en lithographie, seraient harmonieusement
disposés sur de grandes feuilles sont ici
piégés par le réalisme photographique.
L'auteur n'ayant pas su concevoir une mise
en page adéquate, le propos est parasité
par la présence envahissante du panneau de
masquage, d'une propreté douteuse. L'écart
entre le propos et sa mise en œuvre constitue
le genre de dérapage qui, depuis la relecture
de l'iconographie scientifique du XIXe siècle
par les surréalistes ou les collages de Prévert,
donne à pareil essai un intérêt imprévu.

52
Anonyme
Dans *Album de photographies*
de Mme la comtesse de Noailles
« N° 85 Sa main ouverte, 1926 »
« N° 86 Sa main ornée d'une bague,
1928 »

Tirages argentiques d'après négatifs sur verre
au gélatino-bromure d'argent
15 × 21 cm et 8 × 10 cm (ovale)
 Don du docteur Francillon Lobre, médecin
d'Anna de Noailles, 1951
Na 245 petit folio

Le médecin d'Anna de Noailles légua
au Cabinet des estampes un luxueux
et volumineux album contenant
des portraits de sa patiente, depuis
sa naissance jusqu'à sa mort évoquée
par une série de vues de sa chambre
vide. La vie d'Anna se déroule en
accéléré sous nos yeux : on voit varier
fiévreusement ses chapeaux et ses
toilettes alors que son visage demeure
immuablement beau. Ces deux études
de main nue sont, sous leur apparente
simplicité, l'aveu le plus ingénu de
l'orgueil de la poétesse.

La tentation de l'inventaire

53
Philippe Potteau (1807-1876)
« Collection anthropologique du Muséum de Paris
95. Kawasaki. Médecin de 1re classe de l'ambassade japonaise. Né à Yedo, Japon. Phot. en 1862 »
Portraits de face et de profil
Tirage sur papier albuminé d'après négatif sur verre au collodion
18,5 × 13,5 cm, coins coupés
Don du musée de l'Homme, 1966
Eo 179 b boîte 1

Philippe Potteau, avant d'être photographe, est préparateur au Muséum d'histoire naturelle, attaché en particulier au laboratoire d'anthropologie. Au début des années 1860, il installe un laboratoire où il reçoit au fil du temps divers visiteurs dont les membres de missions asiatiques de passage à Paris. Il utilise le double portrait face/profil qui a servi à ce type de document depuis les daguerréotypes de Thiesson en 1844, bien avant d'être repris par Bertillon pour la photographie judiciaire. Le souci de recenser les types humains répond bien à la vocation du Muséum d'histoire naturelle, mais au-delà de cette intention scientifique et classificatrice, les images de Potteau sont de vrais portraits : ils en adoptent les conventions, et le regard du savant n'écrase pas la personnalité des modèles comme c'est souvent le cas. On peut comparer à ces œuvres la série réalisée en Russie en 1867 par Alassine, à la demande d'Anatole Bogdanow et Mathias Zikow.

54
Philippe Potteau (1807-1876)
*« Collection anthropologique du
Muséum de Paris
Li Yunne Tchiaok, 57 ans, Chinois lettré
de Pékin. 1,74 m, cheveux noirs, yeux
bruns, père et mère chinois. Suite
de la Mission chinoise à Paris, 1866 »*

Portraits de face et de profil
Tirage sur papier albuminé d'après négatif
sur verre au collodion
19 × 13,5 cm, coins coupés
Don du musée de l'Homme
Eo 179 b boîte 3

55
Philippe Potteau (1807-1876)
« Collection anthropologique du Muséum
de Paris
247. Élisabeth Reinhard (13 ans).
Bohémienne née à Paris, fille de Joseph
et de Madeleine Reinhard. Taille : 1,42 m.
Cheveux et yeux noirs.
Phot. à Paris en 1865. »

Portraits de face et de profil
Tirage sur papier albuminé d'après négatif
sur verre au collodion
17 × 13 cm, coins coupés
Don du musée de l'Homme
Eo 179 b boîte 2

56
J.-X. Raoult
*« Gouvernement de Kazan. Tatare,
fils de mollah »*

Album *Types et costumes de la Russie*
Vers 1878
Tirage sur papier albuminé d'après négatif
sur verre au collodion
22,5 × 17,5 cm
Acquisition 1878
Ob 124 a petit folio, pl. 13

Ce photographe français installé
à Odessa s'intitule ainsi : « J. X. Raoult,
chevalier de plusieurs ordres, membre
collaborateur de l'université impériale
d'Odessa, mention honorable de
S. M. l'Empereur de toutes les Russies,
médaille à l'Exposition universelle
de Paris 1878 ». C'est à la date de ce
voyage en France qu'il vend au Cabinet
des estampes un ensemble de portraits
intitulé *Types et costumes de la Russie.*
Ce genre de documents entrait
parfaitement dans les catégories
d'images alors collectées, et le même
genre d'achat était réalisé parallèlement
pour la Nouvelle-Calédonie et le Japon.
Il s'est proposé de recenser les
physionomies et les vêtements
traditionnels de tous les peuples
composant l'Empire russe pour servir
à la science, et un grand nombre
de ses images seront en effet reprises
en gravure dans la célèbre *Géographie
universelle* d'Élisée Reclus (1882).
Les tirages sont en général médiocres et
les cadrages aléatoires, mais l'ensemble
a acquis avec le temps un véritable
pouvoir de fascination. La forte présence
des modèles tire l'œuvre de gré ou
de force vers le portrait, tandis que
la crudité des décors la différencie
radicalement des types pittoresques
contemporains tels qu'en faisaient alors
au Proche-Orient Bonfils ou Naya.

57
J.-X. Raoult
« Crimée. École tatare »

Album *Types et costumes de la Russie*
Vers 1878
Tirage sur papier albuminé d'après négatif
sur verre au collodion
20,5 × 25,2 cm
Acquisition 1878
Ob 124 a petit folio, pl. 21

58
J.-X. Raoult
*« Gouvernement de Tver. Marchands
prenant le thé »*

Album *Types et costumes de la Russie*
Vers 1878
Tirage sur papier albuminé d'après négatif
sur verre au collodion
22,8 × 19,2 cm
Acquisition 1878
Ob 124 a petit folio, pl. 69

59
J.-X. Raoult
« Gouvernement de Tambow »

Album *Types et costumes de la Russie*
Vers 1878
Tirage sur papier albuminé d'après négatif
sur verre au collodion
23,3 × 18,1 cm
Acquisition 1878
Ob 124 a petit folio, pl. 100

60
J.-X. Raoult
« Gouvernement d'Orel »

Album *Types et costumes de la Russie*
Vers 1878
Tirage sur papier albuminé d'après négatif
sur verre au collodion
23,2 × 19 cm
Acquisition 1878
Ob 124 a petit folio

Cherchez la mouche
La mouche que l'on aperçoit dans
le coin supérieur gauche du portrait
s'est introduite dans la chambre noire
au moment où le photographe a
entrouvert l'appareil pour y glisser le
négatif sur verre au collodion humide.
L'insecte s'est englué sur la plaque
et y a laissé sa trace grandeur nature.
Cet incident en apparence innocent
nous évoque d'abord les mouches

emprisonnées dans l'ambre fossile,
devenues objets de collection
et de curiosité. Puis une étude
d'André Chastel sur la *musca
depicta*, la mouche en trompe-l'œil
dans la peinture flamande et
italienne entre 1450 et 1520 :
grandeur nature et non à l'échelle
du tableau, elle est posée sur une
coiffe blanche, le dos d'un *putto*,
une table, le bord du cadre.

Le spectateur naïf veut la chasser
pour mieux jouir de la beauté
de l'œuvre, puis il s'aperçoit,
déconfit, qu'elle est l'expression
la plus aboutie de la virtuosité du
peintre. Comme la mouche russe
nous convainc que l'intrusion
du hasard est un des ressorts
essentiels de la photographie.

61
Eugène Atget (1857-1926)
« Porte d'Italie. Zoniers, 1912 (13ᵉ arr.) »

Album *Zoniers*, pl. 14.
22 × 17 cm
Tirage au citrate d'après négatif sur verre
au gélatino-bromure d'argent
Acquisition 1915
Oa 173c Réserve

Eugène Atget compose en 1912 et 1913
un album de soixante photographies
sur « la zone » aux portes de Paris et les
chiffonniers vivant dans ce *no man's land*
de cabanes et terrains vagues. Son souci
de « couvrir », d'archiver tous les aspects
de la capitale l'amène à aborder un sujet
qui évoque pour nous les premiers
reportages sociaux de Lewis Hine
ou les commandes de la Farm Security
Administration dans les États-Unis
de la Grande Dépression. Suivant
sa méthode habituelle, Atget recense
méthodiquement les habitations,
roulottes, baraques de bric et de broc,
venelles et fonds de cour, entassements
d'objets ou d'ordures, carrioles croulant
sous leur chargement. Les vues
où apparaissent les habitants des lieux
sont peu nombreuses, moins du tiers
de l'ensemble, en quoi Atget se distingue
de ses successeurs américains.
L'enregistrement méthodique
des aspects de la vie et du travail
des chiffonniers prime ici sur
une dénonciation de la misère.

62
Eugène Atget (1857-1926)
« Porte d'Asnières, cité Trébert.
Chiffonniers, 1913 (17ᵉ arr.) »

Album *Zoniers*, pl. 27
22 × 17 cm
Tirage au citrate d'après négatif sur verre
au gélatino-bromure d'argent
Acquisition 1915
Oa 173c Réserve

63
Eugène Atget (1857-1926)
« Porte d'Asnières, cité Valmy. Chiffonniers,
1913 (17ᵉ arr.) »
Album *Zoniers*, pl. 38
22 × 17 cm
Tirage au citrate d'après négatif sur verre
au gélatino-bromure d'argent
Acquisition 1915
Oa 173c Réserve

64
Eugène Atget (1857-1926)
« Porte de Montreuil. Zoniers, 1913
(20ᵉ arr.) »
Album *Zoniers*, pl. 39
17 × 22 cm
Tirage au citrate d'après négatif sur verre
au gélatino-bromure d'argent
Acquisition 1915
Oa 173c Réserve

65
Eugène Atget (1857-1926)
« Poterne des Peupliers. Zoniers, 1913
(13ᵉ arr.) »
Album *Zoniers*, pl. 41
17 × 22 cm
Tirage au citrate d'après négatif sur verre
au gélatino-bromure d'argent
Acquisition 1915
Oa 173c Réserve

66
Edward Steichen (1879-1973)
Gloria Swanson, 1928
Don de l'artiste 61-12346
41,5 × 34,5 cm
Ep-1035 (2)-Fol.

67
Brassaï (1899-1944)
Graffiti 101. La magie. Tête aztèque
Acquisition 1592
Ep-10 (2)-Boîte fol.

68
Raoul Ubac
[Portrait dans un miroir], **1937**

Acquisition 23991
23,9 × 27,8 cm
Ep-568-Fol.

69
Florence Henri (1893-1982)
Femme brune anonyme, [1930]

Acquisition 17389
29 × 23 cm
Ep-157-Fol.

70
Albert Rudomine (1892-1975)
La Vierge inconnue du canal
de l'Ourcq, 1927
Acquisition
30 × 23,6 cm
Ep-64-Fol.

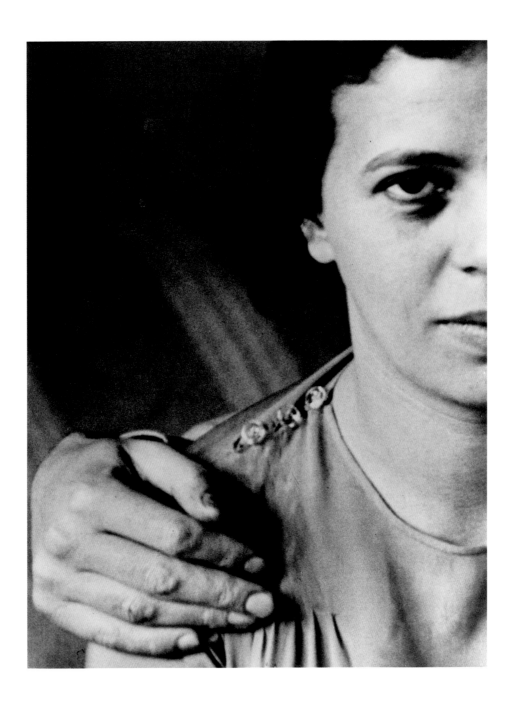

71
André Kertész (1894-1985)
Elizabeth, 1931

Don de l'artiste 80-338
24,5 × 19 cm
Ep-750-Fol.

72
Man Ray (1890-1976)
[*Silhouette*], 1930
Acquisition 58-11518
29,5 × 25,5 cm
Ep-11 (1)-Boîte fol.

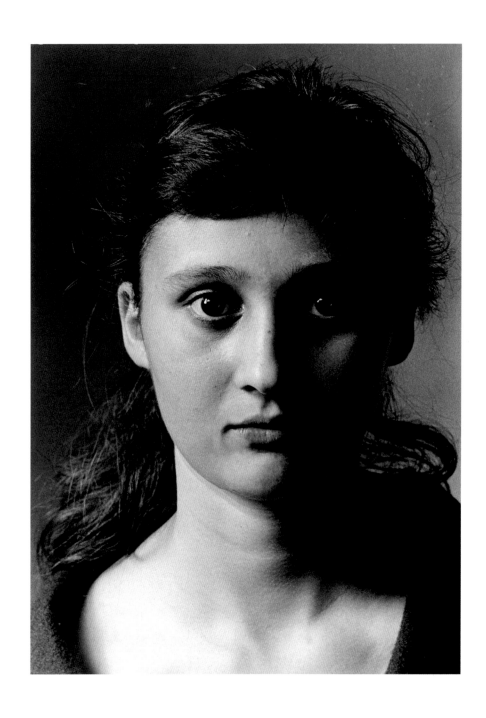

73
Bernard Poinssot (1922-1965)
Sans titre, s. d.
Don 96-3197
30 × 21,5 cm
Ep-776-Boîte Fol.

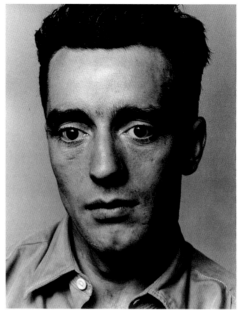

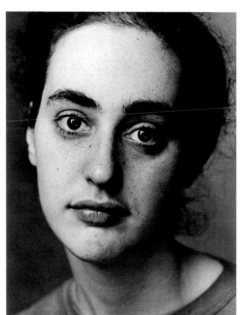

Bernard Poinssot
(1922-1965)

74
Sans titre, s. d.
29,9 × 23,5 cm

75
Sans titre, s. d.
30,5 × 24 cm

76
Sans titre, s. d.
29 × 21,5 cm

77
Sans titre, s. d.
30,5 × 19,5 cm

Don 96-3197
Ep-776-Boîte Fol.

78
Jean-Paul Dumas-Grillet (né en 1956)
Les Apôtres, **1992-1995**
Série de 12 photos virées à l'or sur papier citrate.
Exemplaire unique
Acquisition 2003-0005
Chaque image 24 × 18 cm
Ep-2369-Boîte fol.

79
Philippe Pache (né en 1961)
Stéphanie

Don de l'artiste 95-1041
44,5 x 30 cm
Ep-1747 (3)-Fol.

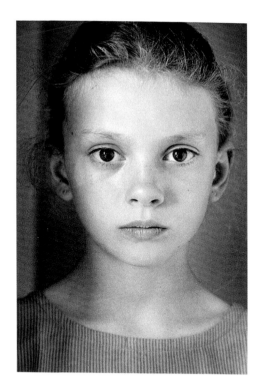

Philippe Pache
(né en 1961)

80
Lætitia
Don de l'artiste 94-1964
44,5 x 32 cm
Ep-1747 (3)-Fol.

81
Romuald, 1988
Don de l'artiste 89-610
40,5 x 27,5 cm
Ep-1747 (2)-Fol.

82
Danielle, 1987
Don de l'artiste 89-610
36 x 24,2 cm
Ep-1747 (2)-Fol.

83
Noël Blin (né en 1913)
Noële Blin, 1952

Acquisition 18755
38 × 27,8 cm
Ep-233-Fol.

84
Gabriel Cuallado (1925-2003)
Niña de la rosa, 1959

Don de l'artiste 83-795
27,5 x 22 cm
Ep-1438-Fol.

85
Gabriel Cuallado (1925-2003)
Niña en el camino, 1957

Don de l'artiste 83-795
29 x 21,5 cm
Ep-1438-Fol.

86
Noël Blin (né en 1913)
Renaud Duval, 1970

Acquisition 18755
39 × 29 cm
Ep-233-Fol.

87
Jean-Luc Tartarin (né en 1951)
Mireille et Anna, 1970

Acquisition 92-237
28,5 x 18,7 cm
Ep-566-Fol.

88
Gilles Ehrmann (né en 1929)
Palerme, Catacombes, 1964

Don de l'artiste 76-342
35,5 x 26,5 cm
Ep-90-Fol.

89
Diane Arbus (1923-1971)
*A young man in curlers at home
on West 20th Street. N. Y. C.*, 1966

Don de l'artiste 69-54569
36 x 38,5 cm
Ep-88-Fol.

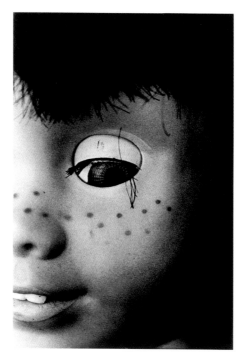

Rosalind Solomon
(née en 1930)

90
Dolls series, Alabama,
Scottsboro, freckled
one with missing lashes,
half face, 1974
Don de l'artiste 76-3332
32 x 21,5 cm
Ep-624-Fol.

91
Dolls series, [1975]
Don de l'artiste 76-3340
32 x 21,5 cm
Ep-624-Fol.

92
Dolls series, Canada, 1975
Don de l'artiste 76-3341
32 x 21,5 cm
Ep-624-Fol.

93
Dolls series, Alabama,
Scottsboro, 1974
Don de l'artiste 76-3338
32,2 x 21,6 cm
Ep-624-Fol.

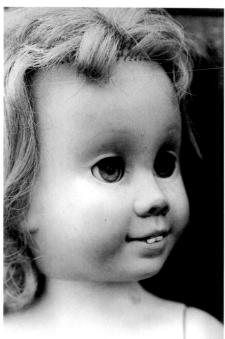

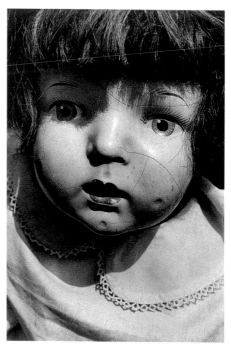

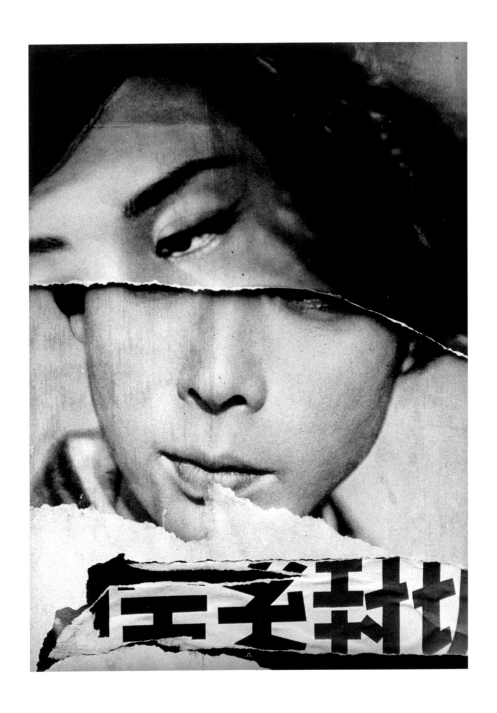

94
William Klein (né en 1928)
Tokyo, **1961**

Acquisition 17030
36,6 × 26,4 cm
Ep-169 (2)-Fol.

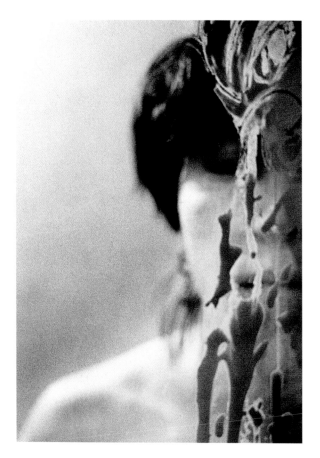 

95
Rossella Bellusci (née en 1947)
Autoportrait I, Série verre,
peinture, 1980
Don de l'artiste 82-1211
39,5 x 27,5 cm
Ep-1372-Fol.

96
Rossella Bellusci (née en 1947)
Autoportrait I, Série verre,
peinture, 1980
Don de l'artiste 82-1211
39,5 x 27,5 cm
Ep-1372-Fol.

97
Clarence John Laughlin
(1905-1985)
The Masks grow to us, 1947

Don de l'artiste 87-814
35,5 x 27,5 cm
Ep-640 (3)-Fol.

98
Hergo (né en 1951)
Sophie, 1994
Dépôt légal 94-2517
30,5 x 23,5 cm
Ep-1653-Boîte fol.

99
Hergo (né en 1951)
Stéphane, 1992
Dépôt légal 94-2519
34,5 x 26,5 cm
Ep-1653-Boîte fol.

100
Hiromi Tsushida (né en 1939)
De la série Zokushin, Ise,
préfecture de Mie, 1972
Acquisition 88-74578
30,5 x 44,5 cm
Ep-2075-Boît fol.

101
Vilem Kriz (1921-1994)
Paris, **1946**

Don de l'artiste 84-295
34 x 26,5 cm
Ep-1510 (1)-Fol.

102
Vilem Kriz (1921-1994)
Berkeley, **1966**

Don de l'artiste 84-295
35,2 x 27,8 cm
Ep-1510 (4)-Fol.

103
Rossella Bellusci (née en 1947)
Nu d'homme I, miroir
Don de l'artiste 82-1211
30,3 x 46,5 cm
Ep-1372-Fol.

104
Sonia Bossan (née en 1967)
Autoportrait, verre, miroir, 1993 [1-4]
Dépôt légal 95-2174
12 x 9 cm
Ep-2669 (1)-Fol.

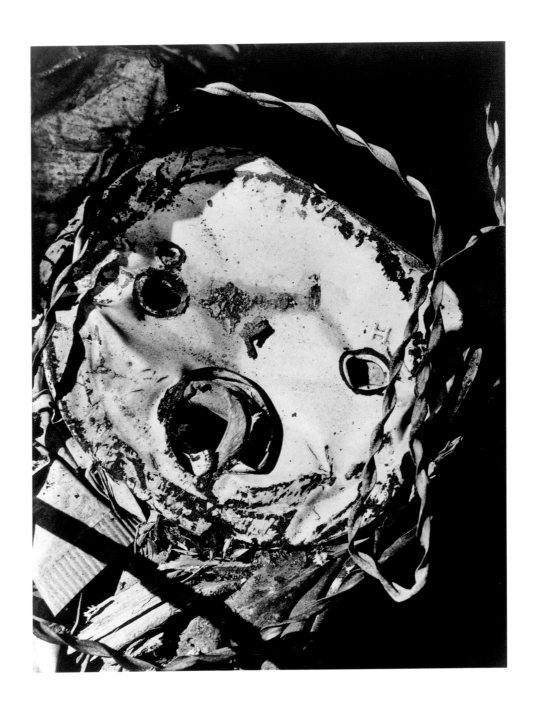

105
Clarence John Laughlin
(1905-1985)
Little fallen Caesar, 1960

Don de l'artiste 88-51
35 x 27 cm
Ep-640 (2)-Fol.

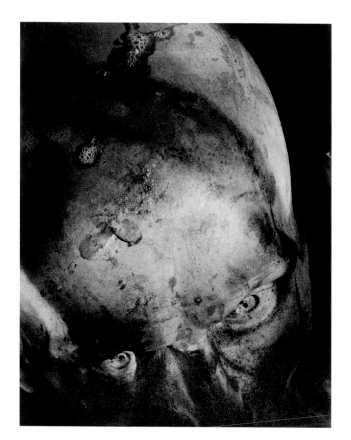

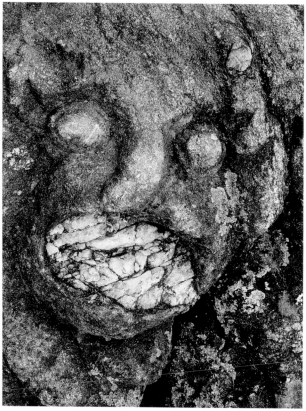

106
Vilem Kriz (1921-1994)
Visage de statue, 1948
Don de l'artiste 84-295
35,5 x 27,9 cm
Ep-1510 (2)-Fol.

107
Gilles Ehrmann (né en 1929)
Adolphe Julien Fouéré, l'ermite de Rothéneuf
Don de l'artiste 76-3299
35,5 x 26,5 cm
Ep-90-Fol.

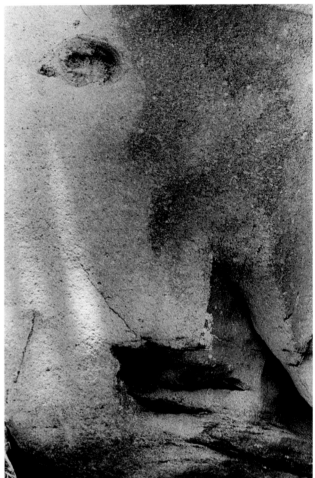

108
Ja Won Paek (né en 1944)
Rochers anthropomorphes

32 × 22 cm
Ep-2107-Boîte fol.

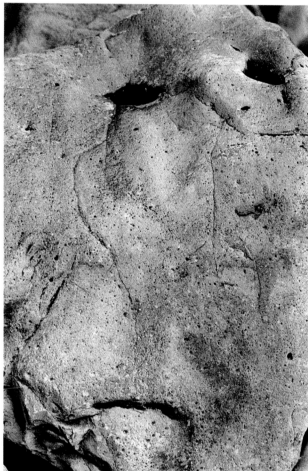

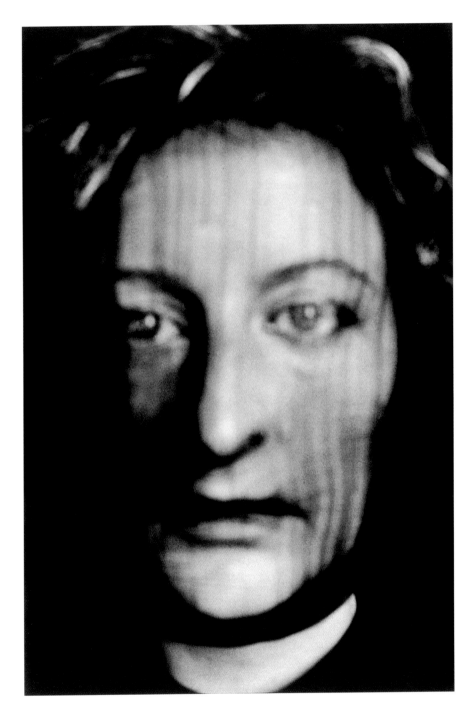

109
Florence Chevallier (née en 1955)
Troublée en vérité, 1986-1987

Don de l'artiste
33,5 × 21,9 cm
Ep-1470-Fol.

110
Henry Lewis (né en 1957)
Autoportrait, [1981]
Acquisition 82-72363
34 x 26 cm
Ep-1302-Fol.

111
Henry Lewis (né en 1957)
Autoportrait, [1981]

Acquisition 82-72363
33,6 x 26 cm
Ep-1302-Fol.

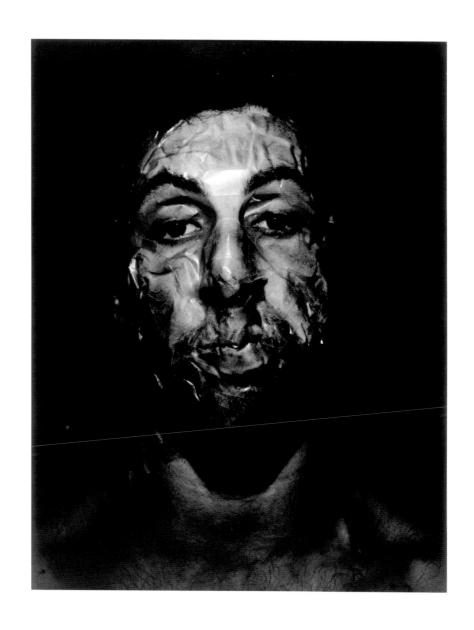

112
Henry Lewis (né en 1957)
Autoportrait, [1981]
Acquisition 82-72363
33,5 x 25,7 cm
Ep-1302-Fol.

113
Olivier Christinat (né en 1961)
Patricia N., 1993

Don de l'artiste 99-1223
40 x 31,4 cm
Ep-2671-Fol.

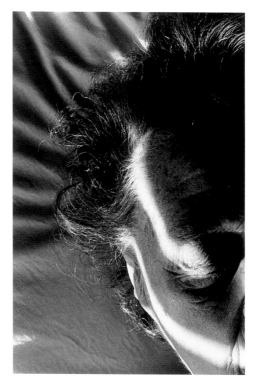

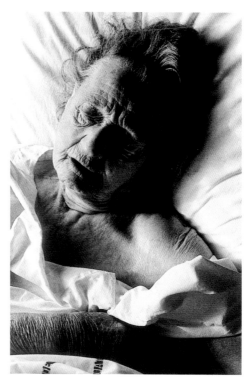

114
Yves Trémorin (né en 1959)
Cette femme-là, 1987

Dépôt légal 88-114
25,5 x 16,5 cm
Ep-1616-Fol.

115
Jean-Luc Tartarin (né en 1951)
Ma mère, 1970

Acquisition 92-236
39 x 28,4 cm
Ep-566-Fol.

116
Jean-Claude Bélégou
(né en 1950)
Rituels-Les Voiles, **1986-1987**
Dépôt légal 87-1283
Ep-1273 (3)- Fol.

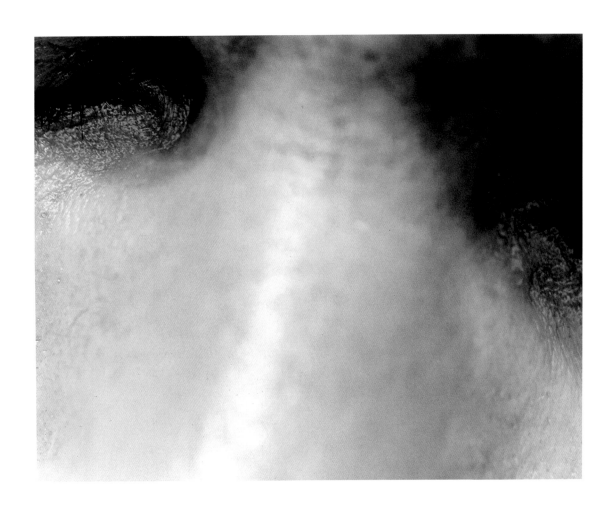

117
Maria Theresia Litschauer
(née en 1950)
Gesichte, **1986**

Don de l'artiste 87-609
26 x 33 cm
Ep-1982-Boîte fol.

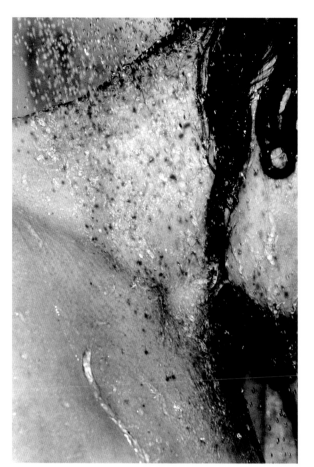 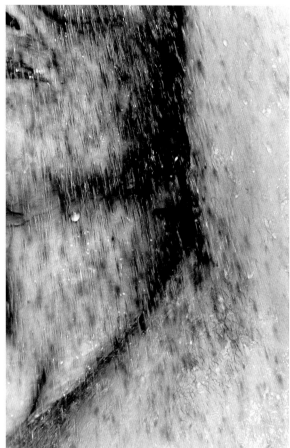

118
Jean-Claude Bélégou (né en 1950)
Rituels-L'Eau, **1986-1987**

Dépôt légal 87-1283
36 x 23,3 cm
Ep-1273 (2)-Fol.

119
Debbie Fleming Caffery
Polly's black eyed susans, [1989]

Don de l'artiste 89-374
38,7 x 36,5 cm
Ep-2110-Fol.

120
Debbie Fleming Caffery
(née en 1948)
Polly, [1989]

Acquisition 89-74675
38 x 37,5 cm
Ep-2110-Fol.

121
Debbie Fleming Caffery
(née en 1948)
Polly, [1989]

Don de l'artiste 89-374
36,5 x 36,5 cm
Ep-2110-Fol.

122
Xavier Zimbardo
Série *Les Belles Disparues.*
***Aurore*, 1991**
Dépôt légal 94-5326
54,5 x 37,5 cm
Ep-1902-Boîte ft 5

123
Sonia Bossan (née en 1967)
Autoportrait, racines, écorces, 1993
Dépôt légal 93-4845
47,5 x 32,5 cm
Ep-2669 (1)-Fol.

124
Photographe anonyme, Guanajuato, Mexique
Portraits de personnes disparues
de la révolution mexicaine, vers 1920

Acquisition 2003
50 × 40 cm

125
Florence Chevallier (née en 1955)
Troublée en vérité, **1986-1987**

Don de l'artiste
33,2 × 22 cm
Ep-1470-Fol.

126
Olivier Christinat
Indolence III, **1994**

Don de l'artiste 99-1223
40 x 31,4 cm
Ep-2671-Fol.

127
Olivier Christinat (né en 1961)
La Gifle III, **1992**

Don de l'artiste 93-3008
42,8 x 34,6 cm
Ep-2671-Fol.

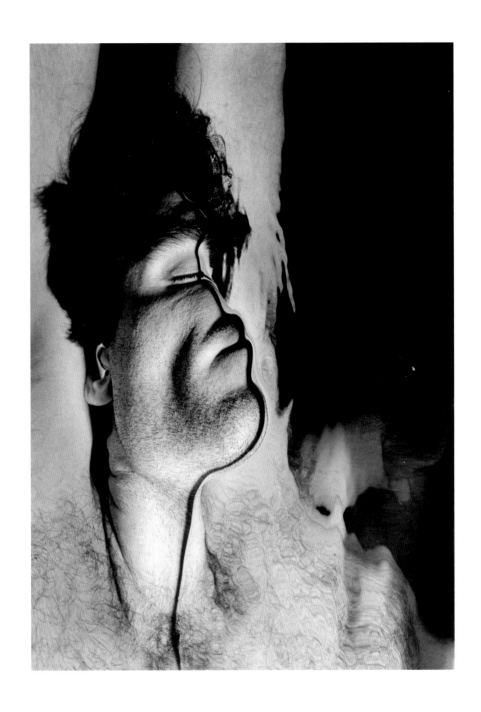

128
Connie Imboden (née en 1953)
Brad portrait secret pages

Don de l'artiste 95-1994
46 x 33,5 cm
Ep-2301-Fol.

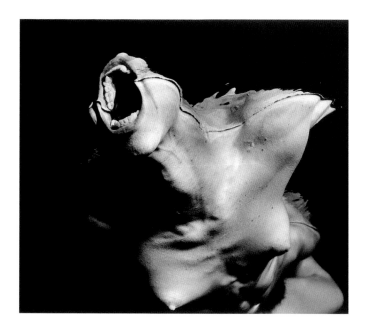

129
Connie Imboden (née en 1953)
Brookie scream
Don de l'artiste 95-1994
44,5 x 38,5 cm
Ep-2301-Fol.

130
Connie Imboden (née en 1953)
Will, **1987**
Don de l'artiste 91-189
43 x 37,5 cm
Ep-2301-Fol.

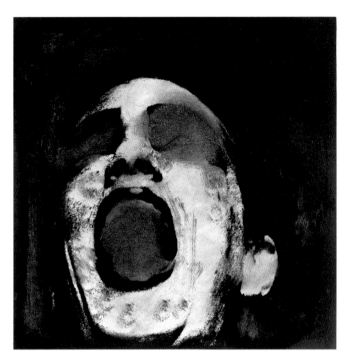

131
Morel Derfler (1956-2001)
Portraits

Acquisition 92-293
45 x 45 cm
Ep-2151-Boîte ft 5

132
Morel Derfler (1956-2001)
Portraits

Don de l'artiste 92-912
45 x 45 cm
Ep-2151-Boîte ft 5

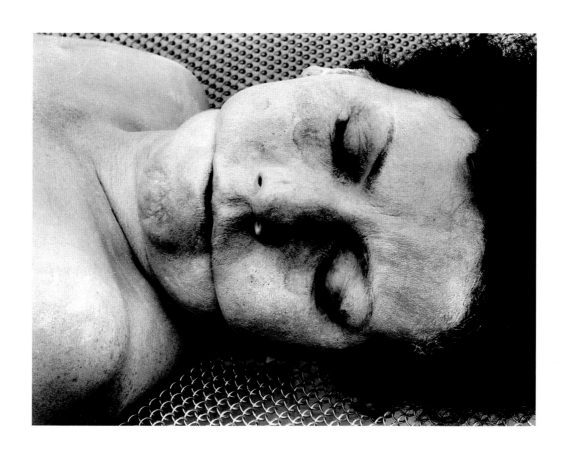

133
Dieter Appelt (né en 1935)
Pittigliano 5, 1983

Don de l'artiste 84-744
39 x 39,2 cm
Ep-1306-Fol.

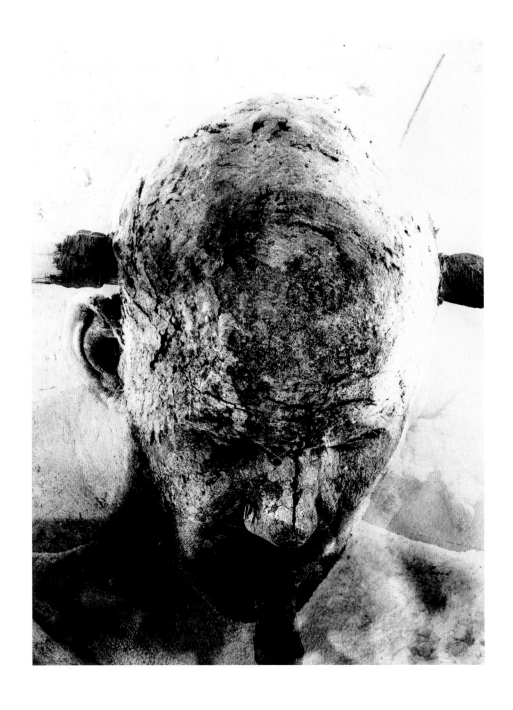

134
Dieter Appelt (né en 1935)
Membran Objekt, 1979

Don de l'artiste 84-744
40 x 30 cm
Ep-1306-Fol.

135
Arnulf Rainer (né en 1922)
Série *Nervenkampf, n° 2 / 95*, s. d.
Acquisition 18753
30 × 24 cm
Ca-217-4

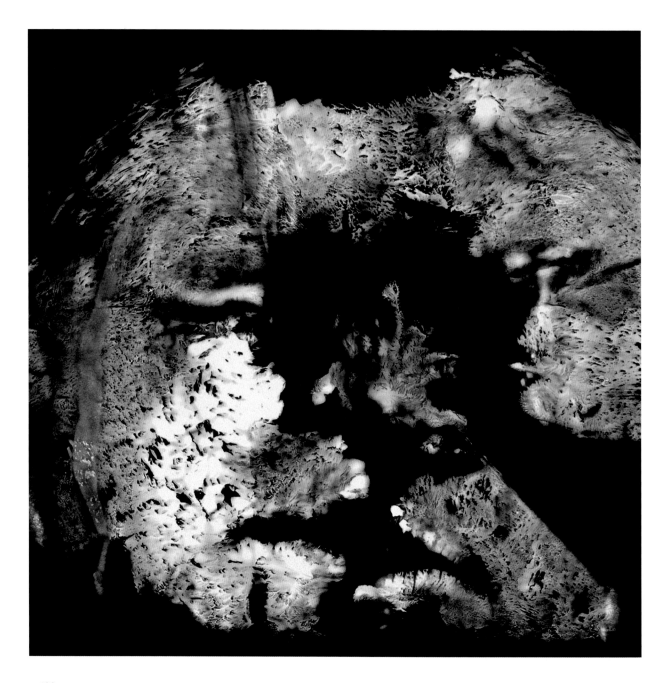

136
Marianne Grimont (née en 1960)
Série *Stigmates*, 2000

Acq 2003-4
50 x 50 cm
Ep-2851-Boîte fol.

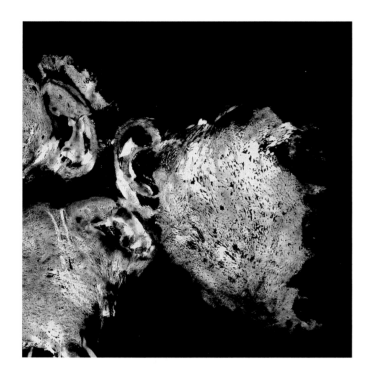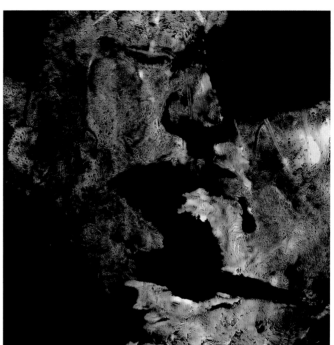

137
Yousouf Wachill (né en 1943)
***Effacements (1-3)*, 1991-1992**

Dépôt légal 1993-1317
31 × 44,5 cm
Ep-1920-Boîte fol.

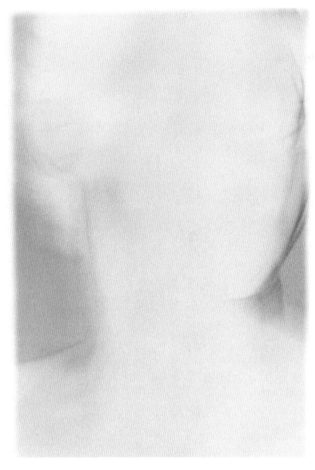

138
Caroline Feyt (née en 1965)
Portrait sans titre, 15, 1992

Don de l'artiste 94-1934
42 x 28 cm
Ep-2053-Boîte ft 4

139
Caroline Feyt (née en 1965)
Portrait de lumière, 20, 1992

Don de l'artiste 94-1931
42,5 x 28,5 cm
Ep-2053-Boîte ft 4

140
Caroline Feyt (née en 1965)
Portrait sans titre, 13, 1992

Don de l'artiste 94-1932
42,5 x 28 cm
Ep-2053-Boîte ft 4

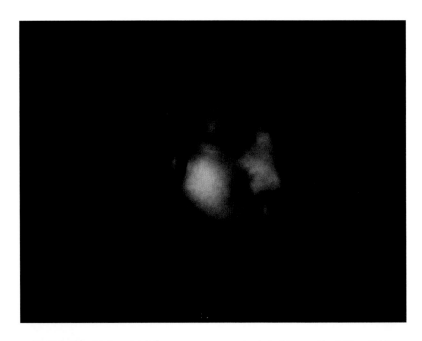

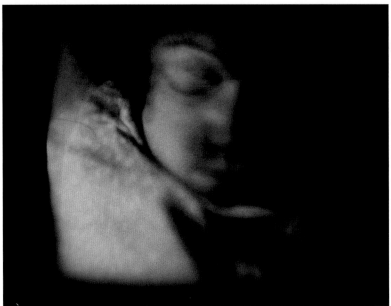

141
Isabelle Rozenbaum (née en 1960)
Autoportrait de nuit, 10, s. d.
Dépôt légal 96-3854
38,5 x 40 cm
Ep-2728-Boîte fol.

142
Xavier Zimmermann (né en 1966)
Portrait sans titre

Photographie négative sur papier baryté,
exemplaire unique
Acquisition 91-618
40,5 x 30 cm
Ep-2425-Boîte fol.

143
Jean-Claude Bélégou (né en 1950)
Erres / Vers le grand Nord, 1992-1993

Dépôt légal
23,5 × 36 cm et 13,5 × 36 cm
Ep-1273(7-8)-Fol.

144
Gérard Trotin (né en 1965)
Métro, 1993
Dépôt légal 94-2659
26,5 x 26,5 cm
Ep-2766-Boîte fol.

145
Xavier Zimmermann (né en 1966)
Portrait sans titre

Photographie négative sur papier baryté,
exemplaire unique
Acquisition 91-618
40,5 x 30 cm
Ep-2425-Boîte fol.

146
Dieter Appelt (né 1935)
Autoportrait au miroir, **1978**

Acquisition 82-72364
31 x 40 cm
Ep-1306-Fol.

Cet ouvrage a été composé
en caractères Corporate et Plantin.
Photogravure : Les artisans du Regard, Paris.
Achevé d'imprimer en septembre 2003
sur les presses de l'imprimerie
Snoeck-Ducaju & Zoon
à Gand (Belgique)
sur papier permanent Idéal Mat 150 g ∞.
Dépôt légal : septembre 2003